MARCO POLO

LONDON

MARCO POLO KOAUTORIN

Birgit Weber

Birgit Weber arbeitet freiberuflich als Autorin für verschiedene Reiseführer über Großbritannien. Sie bereist das Land seit Jahren immer wieder gern, London hat es ihr besonders angetan. Sie mag den Mix aus historischer und moderner Architektur, die Kulturenvielfalt und verrückten Modetrends, die Museen und den Charme der britischen Lebensart. 2013 erschien ein London-Band mit Fotografien von ihr.

REIN INS ERLEBEN

Mit dem digitalen Service von MARCO POLO sind Sie noch unbeschwerter unterwegs: Auf den Erlebnistouren zielsicher von A nach B navigieren oder aktuelle Infos abrufen – das und mehr ist nur noch einen Fingertipp entfernt.

Hier geht's lang zu den digitalen Extras:

http://go.marcopolo.de/lon

Touren-App

Ganz einfach orientieren und jederzeit wissen, wo genau Sie gerade sind: Die praktische App zu den Erlebnistouren sorgt dank Offline-Karte und Navigation dafür, dass Sie immer auf dem richtigen Weg sind. Außerdem zeigen Nummern alle empfohlenen Aktivitäten, Genuss-, Kultur- und Shoppingtipps entlang der Tour an.

HTTP://GO.MARCOPOLO.DE/LON

Update-Service

Immer auf dem neuesten Stand in Ihrer Destination sein: Der Online-Update-Service bietet Ihnen nicht nur aktuelle Tipps und Termine, sondern auch Änderungen von Öffnungszeiten, Preisen oder anderen Angaben zu den Reiseführerinhalten. Einfach als PDF ausdrucken oder für Smartphone, Tablet oder E-Reader herunterladen.

SYMBOLE

- INSIDER TIPP Insider-Tipp
- ★ Highlight
- ●●●● Best of ...
- Schöne Aussicht
- Grün & fair: für ökologische oder faire Aspekte
- (*) kostenpflichtige Telefonnummer

PREISKATEGORIEN HOTELS

€€€ über 220 Euro
€€ 140–220 Euro
€ bis 140 Euro

Die Preise gelten für eine Übernachtung von zwei Personen im Doppelzimmer inkl. Frühstück

PREISKATEGORIEN RESTAURANTS

€€€ über 33 Euro
€€ 18–33 Euro
€ bis 18 Euro

Die Preise gelten für ein durchschnittliches Hauptgericht ohne Getränke

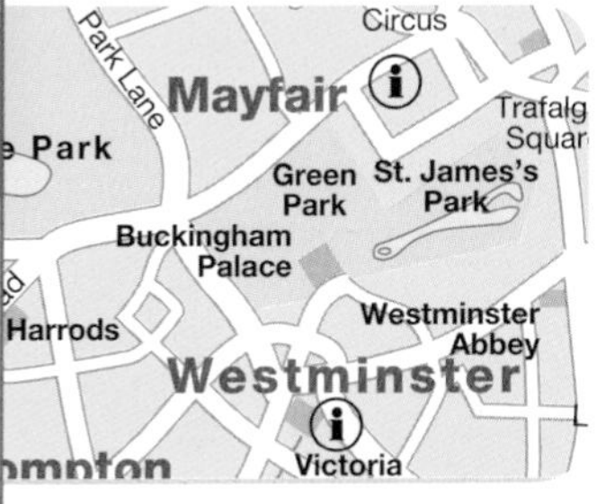

GUT ZU WISSEN
Bücher & Filme → S. 23
Richtig fit! → S. 48
Gourmettempel → S. 66
Spezialitäten → S. 70
Entspannen & Genießen → S. 80
Luxushotels → S. 98
Feiertage → S. 119
Sports – Very British → S. 124
Währungsrechner → S. 125
Wetter → S. 126
Was kostet wie viel? → S. 127

KARTEN IM BAND
(134 A1) Seitenzahlen und Koordinaten verweisen auf den Cityatlas; es sind auch die Objekte mit Koordinaten versehen, die nicht im Cityatlas stehen
(0) Ort/Adresse liegt außerhalb des Kartenausschnitts

Übersichtskarte London mit Umland S. 150/151

(A–B 2–3) verweist auf die herausnehmbare Faltkarte

UMSCHLAG VORN:
Die wichtigsten Highlights

UMSCHLAG HINTEN:
Plan öffentliche Verkehrsmittel

Die besten MARCO POLO Insider-Tipps

Von allen Insider-Tipps finden Sie hier die 15 besten

INSIDER TIPP Englischer Tee? Na klar!
Im Parkcafé *The Orangery* in Kensington Gardens können Sie nach dem Spaziergang Tee trinken, der tatsächlich in England angebaut wurde → S. 113

INSIDER TIPP Wenn Buckingham Palace geschlossen ist ...
Bewundern Sie in der *Queen's Gallery* ganzjährig die Michelangelos, Holbeins, Rembrandts und Canalettos von Elizabeth II. → S. 34

INSIDER TIPP Radeln Sie Deutsch?
Jeden Morgen um 10.15 Uhr führt die *London Bicycle Tour Company* eine Radtour auf Deutsch durch; so müssen Sie nicht ständig die Ohren spitzen → S. 127

INSIDER TIPP Kulinarisch-südliches Flair
Wenn Sie südländisches Lebensgefühl vermissen, können Sie das bei *The Real Greek* wieder auftanken. Authentische Leckereien und Retsina bringen Sie auf den Geschmack → S. 69

INSIDER TIPP Silberrausch
Ein besonderes Erlebnis ist der Gang durch die glänzenden Gewölbe von *Silver Vaults* – wie ein Hobbit beim Zwergenschatz → S. 74

INSIDER TIPP *Teatime* on the Road
Das mobile Café *BB Bakery Bus* aus Covent Garden entführt Sie mit einem echten Routemaster-Bus auf einer Stadtrundfahrt kulinarisch durch die Highlights des *Afternoon Tea* → S. 64

INSIDER TIPP Sterneküche kosten
Zu Lunchzeiten kann man sich auch mit schmalem Budget ein kulinarisches Gaumenerlebnis im michelinsterngekrönten *L'Autre Pied* leisten → S. 68

INSIDER TIPP Tierisch gut
Machen Sie Ihren Familienausflug zum Erlebnis: mit dem Boot gemütlich auf dem Regent's Canal (Foto o.) zum *London Zoo* schippern und dort als VIP die Tiere füttern → S. 116

INSIDER TIPP Statt Shopping-Stress
Ersparen Sie sich die Shopper-Horden der Oxford Street! Machen Sie sich stattdessen auf ins East-End nach Shoreditch, das sich zu einer Shoppingmeile entwickelt hat: In der *Redchurch Street* finden Sie einen bunten Mix aus Markenshops, Indielabels und skurrilen Läden → S. 73

INSIDER TIPP Samstags ins Parlament
Wandeln Sie durch das Zentrum der parlamentarischen Demokratie: Jeden Samstag gibt es eine Führung durch die *Houses of Parliament*, die „Mutter aller Parlamente" (Foto u.), auch in Deutsch → S. 36

INSIDER TIPP Hoch über der Themse
Ein wenig schwindelfrei sollte man schon sein, wenn man durch den Glasboden der oberen Fußgängerbrücke der Tower Bridge runter auf den Fluss schaut. Besonderes Spektakel: Wenn die Brücke für eine Bootsdurchfahrt aufgeklappt wird → S. 109

INSIDER TIPP Indien pur
Der Weg zum Tempel Shri Swaminarayan Madir in Neasden ist weit, aber nach dem eindrucksvollen Tempelzeremoniell schmeckt das Essen im *Shayona Restaurant* umso authentischer → S. 60

INSIDER TIPP Coole Outfits
Wer auf Kleider der 1940er- und 50er-Jahre inklusive Stilmix fliegt, wird bei *Collectif* fündig. Dazu witzige Accessoires und alles zu guten Preisen → S. 79

INSIDER TIPP Barkeeper unter sich
Wenn Sie schon immer mal wissen wollten, wie man Cocktails richtig mischt: In der *Rotunda Bar* werden Sie im Crash-Kurs zum „Mixologen" ausgebildet → S. 86

INSIDER TIPP Themsenabenteuer
Eine Kajaktour vor der Residenz Heinrichs VIII., Hampton Court – ein außergewöhnliches Erlebnis und eine neue Perspektive auf den Fluss! → S. 126

BEST OF ...

TOLLE ORTE ZUM NULLTARIF

Neues entdecken und den Geldbeutel schonen

SPAREN

Es grünt so grün ...

Es muss ja kein Liegestuhl für £ 3,60 sein: Auf vielen der Londoner Grünflächen kann man ein leckeres und sparfreudiges Picknick direkt auf dem Rasen genießen, z. B. im *Hyde Park* (Foto) → S. 30

Radeln und sparen

Die erste halbe Stunde auf den blauen Rädern des *Londoner Leihrad-Netzwerks* ist free! Vorschlag: Sparen Sie sich die 12 £ für die Travel-Card, radeln Sie ins Museum, und laufen Sie zurück → S. 123

Royale Fotogelegenheit

Bei den Wachablösungen vor *Buckingham Palace* oder *Horse Guards Parade* dabei zu sein kostet nichts. Viel Bärenpelz, Uniform und Gepränge für lau. Für „Logenplätze" früh da sein → S. 34, 36

Freikultur

In der Mediathek des *British Film Institute* sehen Sie gratis Klassiker, Filmperlen und TV-Kultserien aus dem Nationalarchiv → S. 87

Gottesdienst in der Krönungskirche

Der Eintritt in die Westminster Abbey, die Krönungskirche der Könige, ist mit £ 18 tatsächlich fürstlich. Kommen Sie werktags zum *Abendgottesdienst* – dann zahlen Sie keinen Penny und können den prachtvollen Bau auf sich wirken lassen → S. 38

Kunst und Musik statt Mahlzeit

Statt eines Mittagessens: Verschieben Sie die Mittagspause etwas nach hinten, und genießen Sie eines der *Gratis-Lunchtime-Konzerte* in der Kirche St-Martin-in-the-Fields. Auch die Kunstausstellungen in der Krypta der Kirche kosten keinen Eintritt → S. 44

Tempel der Musen, Tempel der Götter

London hat eine generöse Museumspolitik: Weder das *British Museum* noch das tolle *Victoria & Albert Museum* oder die *Westminster Cathedral* nehmen Eintritt! → S. 40, 33, 38

Diese Punkte zeichnen in den folgenden Kapiteln die Best-of-Hinweise aus

● *Man gönnt sich ja sonst nichts*
The Ritz (Foto) ist das Original und immer noch der beste der klassischen Afternoon Teas in Hotels. Hier, im *Palm Court*, stimmt einfach alles: die Stimmung, der Service, die *scones* → S. 65

● *Vogelperspektive*
Nur von oben erschließt sich die Stadt in ihrer ganzen Glorie. Blicken Sie vom *London Eye,* Europas höchstem Riesenrad, auf die Metropole oder nehmen Sie den Rundumblick vom *The Shard* → S. 54, 56

● *Abtanzen*
Darf's ein bisschen Swinging London sein? Besuchen Sie einen zweistündigen *Balboa-Swingstepkurs* in West-London und tanzen Sie anschließend im *Notting Hill Arts Club* weiter durch die Nacht → S. 86

● *Fish & Chips*
Die panierten und dann frittierten Kabeljau-, Schellfisch- oder Schollenhappen mit essigbesprenkelten Pommes sind seit Mitte des 19. Jhs. ein Londoner Klassiker. Besonders gut sind sie bei *Poppies* → S. 67

● *Markttreiben*
Alle lieben Londons Märkte: Gourmets den *Borough Market*, Familien mit Kindern den *Camden Market* und die East End-Trendjäger den *Broadway Market* – stürzen Sie sich mit ins Gewühl: stöbern, schauen, probieren, kaufen → S. 78, 79

● *Besuch im Pub*
Auch wenn viele Pubs schließen mussten, bietet die Stadt noch immer eine breite Palette: viktorianische Ginpaläste, Jugendstilambiente, eine ehemalige Poststation oder den Pub direkt am Fluss. Real Ale können Sie im *Black Friar* oder im *The Dove* probieren → S. 90

● *Doppeldeckerfahrt*
Londons rote Doppeldeckerbusse wurden zwar im Design angepasst, im Kern bleiben sie (außerhalb der Rush Hour) ein günstiges, authentisches Transportmittel für alle, die gern mitten im Leben unterwegs sind. Den Charme vergangener Routemaster-Tage schnuppert man noch auf den *Heritage Routes* → S. 26, 126

BEST OF ...

SCHÖN, AUCH WENN ES REGNET

Aktivitäten, die Laune machen

REGEN

● ***Teatime***

Probieren Sie sich im kleinen, aber feinen *Postcard Teas* durch eine authentische Teekarte. Samstags zwischen 10 und 11 Uhr können Sie (nach Voranmeldung) hier auf die Teeschule gehen → S. 64

● ***Kuriositätenkabinett***

Skurril und herrlich britisch-verschroben ist das Sammelsurium des *Sir John Soane's Museum*. Der Architekt der Bank of England lebte hier und trug zusammen, was ihm gefiel. Wer sich am ersten Dienstag des Monats abends anstellt, erlebt das Ganze bei Kerzenschein → S. 50

● ***Alle Zehne!***

Statt mit Bier in Kegelclub-Atmosphäre wird im US-Fifties-Ambiente der *All Star Lanes* beim „Boutique Bowling" mit Cocktails oder Champagner angestoßen. Trendy London verpflichtet! → S. 84

● ***Gesicht zeigen***

Unternehmen Sie eine Reise durch die Jahrhunderte mit britischen Köpfen in der *National Portrait Gallery*. Regenfrei speisen können Sie dann im obersten Stockwerk im *Portrait Restaurant* → S. 43

● ***London Sound***

An den „Horchposten" des Plattenladens *Rough Trade* im East End hören Sie sich in Ruhe durch eine gepflegte Charts-Auswahl. Und wenn der Regen aufhört, steht Ihnen die ganze Brick Lane offen → S. 81

● ***Europas größtes Einkaufszentrum***

Geben Sie's zu, Shoppen steht oben auf Ihrer Liste! *Westfield* – mit fast 300 Läden und Gastronomie (Foto) – zieht die Londoner magisch an, der Besuch artet aber dank eines cleveren Konzepts nicht in Gedränge aus, sodass man auch zum *people-watching* kommt → S. 72

ENTSPANNT ZURÜCKLEHNEN

Durchatmen, genießen und verwöhnen lassen

● *Hilfe für müde Shopping-Schultern*

„Shop till you drop" sollte man nicht zu wörtlich nehmen. Im 4. Stock von *Selfridges* können Sie Ihre Tüten abladen und sich in einem bequemen Sessel eine Schultermassage gönnen → S. 76

● *Im Park das Leben vorüberziehen lassen*

Bei gutem Wetter machen Sie es wie die Londoner und mieten sich einen Liegestuhl im *St James's* (Foto) oder *Regent's Park* – besser kann man £ 3,60 nicht anlegen! → S. 33, 16

● *Astro-Show*

Sinken Sie im Planetarium von Greenwich in die gekippten Sessel, am besten für die Live-Himmelsshow *The Sky Tonight*: herrlich beruhigend und entspannend! Nur nicht zu müde hingehen, sonst ... → S. 57

● *Pure Entspannung*

Im Hamam des *Casa Spa* schwitzen Sie auf orientalische Art mit Dampfbad und Peelings; das *Palm Court Chuan Spa* verwöhnt Sie auf englische Weise mit Tea Therapy → S. 80

● *Raus ins Grüne*

Raus aus dem Großstadttrubel und rein ins Grüne: Machen Sie einen entspannenden Ausflug ins ruhige Hampstead und genießen bei einem Spaziergang den Landschaftspark *Hampstead Heath* → S. 57

● *Hotelzimmer mit Spa*

Wer im *Fielding Hotel* absteigt, schlägt zwei Fliegen mit einer Klappe: Er wohnt zentral im West End – und hat freien Zugang zum nur wenige Meter entfernt gelegenen Spa, dem *Covent Garden Fitness and Well Being Centre* → S. 97

● *Für Leseratten*

In der Costa-Coffee-Konzession im ersten Stock der gut sortierten *Waterstones-Buchhandlung* am Trafalgar Square darf man Bücher ganz relaxt mit einem *latte* inspizieren und sich festlesen – ohne Kaufzwang → S. 74

AUFTAKT

ENTDECKEN SIE LONDON!

London steht auf der Besucherskala europäischer Städte vor Berlin und Barcelona. Rote Doppeldeckerbusse, der goldene Turm von Big Ben, die mächtige Kuppel von St Paul's Cathedral, die Zuckerbäckergotik der Tower Bridge: London ist eine Stadt, die jeder einmal gesehen haben sollte – und an der man bei jedem Besuch neue Seiten entdeckt.

London ist immer in Bewegung und hält zugleich seine ***2000-jährige Geschichte*** lebendig. Es ist dieser Kontrast zwischen Tradition und Moderne, zwischen den Bärenfellmützen der königlichen Wachablösung und den neuesten Modetrends auf der Straße, zwischen Afternoon Tea im Ritz und bengalischen Currys der Brick Lane, der den Reiz der englischen Hauptstadt ausmacht. In London leben 8,6 Mio. Menschen, hier ist das Zentrum der britischen Politik, der Finanz- und Medienwelt, der Kultur – mit Museen und Theatern von Weltrang und einer lebendigen Restaurantszene. Hier werden internationale ***Musik- und Modetrends*** gemacht. Seit dem Jahrtausendwechsel präsentiert sich London in frischem Gewand, mit neuer Skyline, sich ständig wandelnden Stadtvierteln, frisch gestylten Museen und der ambitioniertesten Architektur Europas.

Bild: Millennium Bridge und St Paul's Cathedral

Wo heute die Finanzbroker in der City zur Arbeit eilen, begann vor gut 2000 Jahren die Stadtgeschichte als ***römischer Handelsplatz Londinium***. Es folgten als Besatzer Angelsachsen und Wikinger. Der Sieg der Normannen bei der Schlacht von Hastings 1066 um die Krönungsnachfolge des letzten angelsächsischen Königs Edward the Confessor sollte das letzte Mal sein, dass die Stadt eingenommen wurde. Im weiteren Verlauf des Mittelalters wuchs London zum Zentrum für Parlament, Königshaus und Handel aus den zwei Zentren City und Westminster am nördlichen Themseufer heran. Wirklich geplant wurde die Stadt nie. Nachdem die Flammen des ***Great Fire of London*** 1666 vier Fünftel der Holzhäuser verschlungen hatten, wurden immer wieder Gelegenheiten zu einer organisierten Stadtplanung verpasst, was der Metropole einen sympathisch zusammengewürfelten Anstrich verleiht.

London ist aus Teilen zusammengewachsen: dem exklusiven Mayfair mit bürgerlichen Stadthäusern, St James's, dem Viertel der gediegenen Clubs, dem Amüsierviertel Soho, Bloomsbury, dem Intellektuellenviertel des 20. Jhs., Spitalfields und Shoreditch, dem kreativen East End, Greenwich mit seinem maritimen Flair, dem grünen Hampstead – ein homogenes Ganzes ist nie entstanden. Traditionell verstanden sich die Cockneys, geboren in Hörweite der Kirchenglocken von St-Mary-le-Bow im East End, als die ***wahren Londoner***. Doch den „typischen" Londoner gibt es schon lange nicht mehr. Spätestens mit dem 17. Jh., als sich hugenottische Seidenweber aus Frankreich im East End niederließen, wurde London kosmopolitisch. Im 19. Jh. kamen die Iren auf der Suche nach Arbeit; in den 1950er-Jahren folgten Einwanderer aus den karibischen Commonwealth-Staaten. Sie alle bauten eigene soziale Netze auf und bewahrten Teile ihrer Traditionen. Andere kamen und gingen: Der Philosoph der französischen Aufklärung ***Voltaire*** suchte 1726 das Exil im toleranten London, ***Mahatma Gandhi*** ließ sich während seines Jurastudiums Ende des 19. Jhs. von englischen Sozialisten und dem Dramatiker ***George Bernard Shaw*** inspirieren, und Hampstead sollte der letzte Wohnort des vor den Nazis fliehenden ***Sigmund Freud*** sein. Heute braucht man sich für einen Querschnitt durch die Londoner Bevölkerung nur in der U-Bahn umzusehen: ein Citymanager in Nadelstreifen neben einem afrokaribischen Teenager mit Dread-

Ein kosmopolitisches Mosaik

Columbia Road Flower Market: Hier wechseln die Blumen fliegend den Besitzer

locks, eine alte chinesische Dame, ein junger Skater in Sportdesigner-Labels neben der Bengalin im Sari. Die Bombenanschläge von 2005 haben die Weltoffenheit und multikulturelle Lebensart der Stadt nicht infrage stellen können.

London ist nicht gleich England, aber bestimmte englische Charakterzüge – eine gewisse Reserviertheit, Höflichkeit, ein toleranter Individualismus, Traditionsbewusstsein, Understatement, Selbstironie – bilden das Fundament der Koexistenz in der Großstadt. Denn ***dreißig Kulturen*** teilen sich diese Stadt; über ein Drittel der Londoner gehören einer ethnischen Minderheit an. Nur 40 Minuten vom Trafalgar Square entfernt kann man sich im westlichen Vorort Southall zwischen indischer Radiomusik, Geschäften für Tunika-Hosenensembles und Curryaromen wie im Punjab fühlen. ***300 Sprachen*** werden heute in der Mutterstadt der englischsprachigen Welt gesprochen, Erbe des ***britischen Empire***, das sich zur Regierungszeit Queen Victorias (1837–1901) über ein Viertel des Globus erstreckte. Das heißt nicht, dass es nicht auch Misstöne gäbe: In den Boulevardblättern ist die Zuwanderung immer wieder Thema.

Multikulti und doch very British ...

Londoner verdienen knapp 800 Euro die Woche; knapp 6,4 Prozent haben keine Arbeit; die Rate ist seit der Rezession 2008 wieder rückläufig. Mit Kensington & Chelsea und Tower Hamlets vereint London sowohl den ärmsten als auch den reichsten Bezirk des Landes auf sich. Londoner recyclen wenig, aber immer mehr radeln zur Arbeit und engagieren sich ***ehrenamtlich***: z. B. bei Aufforstungsarbeiten beim „Green Gym" im Park oder als Mentor gegen die Gang-Ideologie der schnell gezückten Messer und liegengebliebenen Schulbücher. ***Soziales Engagement*** wird umso wichtiger, da zentrale Dienstleistungen einschneidenden Haushaltskürzungen zum Opfer gefallen sind – auch bei der Polizei. So war man nicht auf die Revolte randalierender Jugendlicher vorbereitet, die im August 2011, ausgehend vom sozialen Brennpunktviertel Tottenham, zu den schlimmsten Unruhen seit 25 Jahren führte und sich über ganz Großbritannien ausbreitete. Londoner sind politisch und kulturell interessierter als der Landesschnitt und nutzen auf dem Arbeitsweg gerne iPod und E-Book-Reader.

Alltagsleben in der Metropole

Der alte Spitzname für London, „The Big Smoke" (die „Große Rauchglocke"), ist ein Überbleibsel aus der Zeit, als Industriesmog noch Leben forderte. Tatsächlich hat London mehr ***Grünflächen*** als jede andere Stadt vergleichbarer Größe. Schöne Spaziergänge führen durch Hyde Park, Green Park oder ● *Regent's Park*, wo in der kurzen Mittagspause die Büroangestellten ihre Sandwiches auspacken. Die ***königlichen Parks*** sind nur ein Beispiel dafür, wie das Königshaus im Londoner Leben im Hintergrund mitläuft; die Royals mögen viele Touristen in die Stadt bringen, doch für den Alltag der Londoner hat die Queen weit weniger Bedeutung als der Trainer des Fußballclubs Arsenal oder die neueste Entwicklung in der Seifenoper „Eastenders". 2011 wurde die bürgerliche Kate Middleton in den Kreis der Royals aufgenommen. 2012 galt das Hauptinteresse von Medien und Bevölkerung jedoch der Queen selbst, denn sie feierte ihr ***60-jähriges Thronjubiläum***. Ein Jahr später kam der royale Spross, Baby George und im Mai 2015 Prinzessin Charlotte, die Jüngste im Königshaus, zur Welt.

Für ihre direkten Belange zählen die Londoner auf Bürgermeister Boris Johnson. Dessen schwierigste Aufgabe bleibt, die Londoner von A nach B zu bringen. Das ***älteste und weitläufigste U-Bahnnetz der Welt*** transportiert pro Jahr eine Milliarde Passagiere und kämpft mit technischen Problemen. Die U-Bahnstationen der *Jubilee Line* wie Norman Fosters *Canary Wharf* mögen strahlenden Kathedralen ähneln, der Stadt mit dem teuersten öffentlichen Nahverkehr Europas droht der Verkehrsinfarkt – trotz Citymaut. Das zweitliebste Thema bei Dinnerpartys ist die Wohnsituation. Londons ***Immobilienpreise*** sind die höchsten im Vergleich zu anderen europäischen Städten. In edlen Vierteln wie Chelsea z. B. kostet ein Haus um die 6 Mio. Euro. Viele wurden von Ausländern erworben. So ist es den meisten jungen Londonern praktisch unmöglich, eine bezahlbare, halbwegs zentrale Unterkunft zu finden. Die Suche nach billigem Wohnraum stand auch hinter dem Hoxton/Shoreditch-Phänomen der letzten Jahre, als Künstler und Alternative in diese abbröckelnden Viertel nahe der City auswichen und sie zu ***Trendvierteln*** machten. Heute ist Dalston an der Reihe. „Trend" ist hier nicht im Sinne von saniertem Notting Hill gemeint. Wer zwischen den türkischen Schnellimbissen, Pound-Shops, posterübersäten Hauswänden und verwehten Plastiktüten wandelt, bekommt eher ein High-Noon-Gefühl. Diese unverputzten Gegenden Ostlondons voller junger Leute, vielleicht die nächsten großen Designer, Musiker und Künstler, pflegen ihren eigenen Snobismus. In einer sich schnell wandelnden Szene wissen sie, hinter welcher der gammeligen Fassaden die Stufen hinunter in den derzeit angesagten Club führen.

Der beste Ort, den Puls von London zu spüren, ist an der **Themse**. Die Londoner haben sie wiederentdeckt: als Flaniermeile. Das trübe Gewässer täuscht: „Father Thames" ist so sauber wie seit 50 Jahren nicht mehr, und modernisierte (Hungerford Bridge bzw. Golden Jubilee Bridge), neue (Millennium Bridge) und geplante (begrünte „Gartenbrücke") Brücken geben der Stadt einen neuen Zusammenhalt. Der Fluss markierte immer schon die Trennlinie zwischen Nord- und Süd-London. South London, eher bekannt für anonyme Sozialbauten, jugendliche Handyräuber und mangelnde Infrastruktur, holt auf und inspiriert **neue Trends** und urbane Sounds.

Wo die wahren Trends entstehen

Vorzeigeviertel: Southwark, seit 2012 mit Europas zweithöchstem Gebäude, Renzo Pianos Bürohaus *The Shard*. Währenddessen dehnt sich die Stadt nach Osten aus: Themseabwärts, im ehemaligen Hafengebiet der Docklands, wachsen **Wolkenkratzer** in die Höhe. Im Osten entstanden auch die Sportanlagen für den Olympia Park 2012. Es ist diese Dynamik, die London zu einer der spannendsten Städte der Welt macht.

Immer zum Sprung bereit: Pendeln mit der Underground

IM TREND

1 Blühen soll London

Green City Wenig Platz für Natur? Das stört Organisationen wie die *Guerilla Gardening*-Gruppe Londons wenig. Nachts begrünen sie ihre Stadt mit Sonnenblumen und Co. *(www.guerrillagardening.org) (Foto)*. Sportlich geht's bei *Trees for Cities* zu: Bei Laufveranstaltungen wie dem Run for Trees wird Geld gesammelt, mit dem Pflanzungen und der Schutz alter Bäume finanziert werden *(www.treesforcities.org)*.

2 Große Kunst

Beauty in the City Im wahrsten Sinne ein Highlight Londons ist der *Arcelor Mittal Orbit (Foto)*. Den 115 m hohen Turm haben der Künstler Anish Kapoor und der Designer und Ingenieur Cecil Balmond anlässlich der Olympischen Spiele gestaltet. Jetzt steht er auch Besuchern offen und bietet auf zwei Plattformen eine phantastische Rundumsicht. Eines bleibt Ihnen von hier oben jedoch verborgen: Europas größte Neon-Installation von Künstlerin *Pae White*. Die befindet sich nämlich im Untergrund, in der U-Bahnstation Gloucester Road. Überirdisch ist dafür das neue Bus-Design der weltbekannten roten Doppeldecker. Ein Hingucker und ein ideales Sightseeing-Vehikel!

3 Anders Tafeln

Wohnzimmeratmosphäre Supper Clubs wie *Leluu's Supper Club (www.leluu.com)* haben Konjunktur. Auf der Website kann man per E-Mail um eine Einladung bitten, serviert wird bei Leluu daheim. Auch in sind versteckte Bars hinter unscheinbaren Türen und geheime Räume in Cocktail-Clubs, die man durch einen Spiegel oder Kühlschrank betritt *(short.travel/lon15)*. Weitere Supper Clubs finden Sie auf *www.londonpopups.com*.

In London gibt es viel Neues zu entdecken. Das Spannendste auf diesen Seiten

Café Heimat

4

Geld ist Zeit Londons Kettencafés bekommen Konkurrenz durch Wohnzimmercafés mit Heimateffekt. Im *Ziferblat (388 Old Street | london.ziferblat.net)* in Shoreditch bekommt man Kaffee, Kekse und WiFi umsonst: Den Kaffee kocht man selbst, dafür bezahlt man für die Zeit, die man dort verbringt. Das pay-as-you-go-Konzept stammt aus Russland: ein Ort, um sich wohl zu fühlen, Freunde zu treffen. Bei 5 Pence pro Minute bezahlt man für eine Stunde Surfen und Kaffeetrinken £ 3. Wohlfühlfaktor hält auch das *Nana Café (The Convenience | Brooksby's Walk | www.wearenana.com)* bereit: Traditionelle Küche mit Geschmack nach Kindheit wird in Hackney von einer Riege fürsorglicher, jung gebliebener Old Ladies serviert. Weniger Heimat, dafür Mehrwert in Form juristischer Ratschläge zum Kuchen tischt *The Legal Café (81 Haverstock Hill | Hampstead | www.81haverstockhill.com)* auf. Im *Lock 7 (129, E2 Pritchard's Road | Hackney | lock-7.com)* lässt man sein Fahrrad reparieren, während man gemütlich seinen Kaffee schlürft.

Stadtsport

5

Über Stock und Stein Profis für Parkour und Freerunning, die sogenannten Traceure, verwandeln die Stadt in einen Abenteuerspielplatz. Ihr Können zeigen *Parkour Generations* in Musikvideos; außerdem bieten sie In- und Outdoor-Workshops für jede Alters- und Bewegungsklasse an. Besondere Herausforderung: Traceurkunst bei Nacht *(www.parkourgenerations.com)*. Sie organisieren auch Events wie das Chainstore Massacre an Halloween, Winterval im Januar oder alljährlich *Rendezvous*, bei dem sich Profis aus der ganzen Welt zu einem zweitägigen Workshop treffen.

FAKTEN, MENSCHEN & NEWS

MODE

London Fashion ist weniger der englische Landhausstil, sondern eher ausgefallen, ein bisschen *crazy:* zotteli-ge Fellmäntel und Plüschpelze über Miniröcken, hautenge *clubwear* mit klobigen Stiefeln vom Camden Market oder Leggings mit Pumps und Zigarettenjeans mit altmodischen *pork-pie*-Hüten oder Tweed-Käppis wie auf der Hunderennbahn. Londons kreatives Klima und das Erbe der Punkära, an deren Anfang die Modequeen Vivienne Westwood stand, leben heute fort in einer Vorliebe für Stilmix und witzige Accessoires. Londoner Models wie Kate Moss oder Naomi Campbell wurden Superstars. Die neuesten Laufstegmodels von Burberry: Cara Delevingne, Malaika Firth und der junge Romeo Beckham, Sohn von Ex-Fussballstar David Beckham und Modedesignerin Victoria Beckham. Die besten Talente der Haute-Couture wie die vegan bewegte Stella McCartney mit ihrer lederlosen Kollektion sind international gefragt. Neben den Newcomern Hussein Chalayan mit seinem techno-coolen Stil und Erdem Moralioğlu mit seinen romantisch angehauchten Entwürfen zeigt sich, dass Victoria Beckham besser Kleider entwirft, als sie singt: Sie erhielt den British Style Award 2011. Ihre Kollektionen fließender Gewänder in leuchtenden Farben finden großen Applaus. Der Einfluss des 2010 verstorbenen Enfant terrible Alexander McQueen bleibt jedoch sichtbar. Fashion victims bei knapper Kasse zählen auf Kooperationen zwischen Designern und

Bild: Camilla und Catherine bei der Geburtstagsparade für die Queen, Trooping the Colour

Mode, Monarchie, Musik & more – neue Trends und alte Zöpfe bestimmen das Leben in der Stadt an der Themse

Kaufhäusern wie Alexander Wang für *H&M*, der den Parka salonfähig machte. Der Vintagetrend hält an: Stilmix aus Hausfrauen- und Sixties-Vamp, kombiniert nun auch den 70er/80er-Jahre-Discoschick. Auch *upcycling* – Abfallprodukte werden zu Neuwertigem – bleibt bei jungen Frauen beliebt. Der ökologische und ethische Gedanke wird immer wichtiger: Modeaktivistin Livia Firth engagiert sich mit ihrem *Green Carpet Challenge* dafür, dass bei öffentlichen Auftritten ethisch produzierte Kleider getragen werden. Unterstützt wird das Projekt von renommierten Modehäusern und Designern wie Burberry, Stella McCartney und Victoria Beckham.

MONARCHIE

Schon vor 1066, als der Normannenkönig William der Eroberer hier seinen Regierungssitz einrichtete, war London Sitz des englischen Königshauses. Der Monarch ist das Staatsoberhaupt des Vereinigten Königreichs von Großbritannien und Nordirland, segnet Gesetze ab

Adele – Exportschlager aus Tottenham

und ist oberster Befehlshaber der Armee. 2012 zelebrierte Queen Elizabeth II. ihr diamantenes Thronjubiläum (60 Jahre!) und wurde u. a. mit einer spektakulären Schiffsparade geehrt. Die Macht der Queen ist allerdings eher symbolischer Art: Elizabeth II. mag alljährlich im Oberhaus die Regierungserklärung *(Queen's Speech)* verlesen, geschrieben wird sie vom Premierminister und dem Kabinett. Im Gegensatz zur kinderlosen Tudor-Virgin-Queen Elizabeth I. (1558–1603) hält die Nachkommenschaft Elizabeth' II. den Tratsch am Laufen. 2005 heiratete Prince Charles seine langjährige Liebe Camilla Parker-Bowles, und während Prince William wohl den Charme seiner Mutter Diana geerbt hat, tritt Harry oft ins Fettnäpfchen. Wie übrigens auch traditionell Großvater Prince Philip, bei dem sich die Altersweisheit nur langsam einstellt, obwohl er 2011 seinen 90. Geburtstag feiern konnte. William und Harry schwitzten beide auf der Militärakademie Sandhurst. Harry, die Nummer Fünf in der Thronfolge, liebt Sport und Adrenalin: Zwei Monate diente er inkognito in Afghanistan. Seither engagiert er sich für Kriegsveteranen. Prinz William heiratete 2011 die bürgerliche Kate Middleton. im Juli 2013 kam ihr erster royaler Nachwuchs, Prince George of Cambridge, und im Mai 2015 seine Schwester Charlotte Elizabeth Diana zur Welt. Wer die Romanze von Kate und William nachvollziehen möchte, bucht eine INSIDER TIPP königliche Stadtführung *(Tel. 020 76 30 20 28 | www.goldentours.com)* und erfährt dabei auch, wo die Queen ihr Parfüm kauft und wo sich Prinz Harry die Haare schneiden lässt. Mit der von Premierminister David Cameron gestützten Idee einer „Queen Camilla" kann sich derweil nur eine Minderheit anfreunden; viele sprechen sich in Umfragen für King William V. aus, ohne Umweg über Charles. Nicht zuletzt der Riesenerfolg des Kinofilms „The King's Speech" mit Oscar-Gewinner Colin Firth zeigt, dass die Monarchie immer noch breite Unterstützung findet.

MUSIK

London ist nicht nur das Zentrum der Musikindustrie, hier werden Trends gemacht. Die Briten kaufen pro Kopf mehr Vinylscheiben und Downloads als jede andere Nation der Welt, und in jeder Schulklasse gibt's ein paar Typen, die zu Hause in der Garage eine Band aufziehen. Gerade in den letzten Jahren ist auf Londoner Boden eine starke Musikergeneration herangewachsen, vor allem bei den Damen: so unterschiedliche Top-Stimmen wie Lily Allen (Debütalbum „Alright, Still"), Florence + the Machine („You've Got the Love"), Adele aus Tottenham, deren Titelsong zum James-Bond-Film *Skyfall* ihr Oscar, Grammy und Golden Globe bescherte, die Rapperin Kate Tempest aus Südlondon, die aus Sri Lanka stammende und inzwischen in Los Angeles lebende MIA, die Halbspanierin Paloma Faith aus Hackney oder die junge deutsch-amerikanische Soulsängerin Arlissa aus Crystal Palace (Debüt „Hard to Love Somebody"). Zu den neuen Stars zählen auch die Westlondoner Folkies Mumford & Sons, die Indie-Band The xx (Song-Tipp „Crystalised"; The xx drückten die gleiche Schulbank wie das erfolgreiche Electro-Quintett Hot Chip) und der Rapper Plan B aus Südlondon. Britpop gab dem Rockgitarren-Revival Impulse, junge asiatischstämmige Londoner tanzen zu Bhangra. Das populärste Genre ist Urban, Musik aus der Stadt: Garage, Hip-Hop – mit dem designerbebrillten Shooting Star Tinie Tempah – Drum & Bass, R 'n 'B und Mischformen wie Grime „Schmutz").

OLYMPIA PARK

Als London 2005 die Wahl als Austragungsort für die Olympischen Spiele 2012 gewann, versprach man, für Londons armes East End, eine Industriebrache im Lea Valley, auf Nachhaltigkeit und Regeneration zu setzen. Eine „Gartenstadt des 21. Jahrhunderts" sollte entstehen. Für die Spiele wurden z. T. bestehende Sportstätten genutzt und neue Anlagen so geplant, dass sie nach den Spielen umgebaut und für die Bevölkerung nutzbar gemacht werden konnten. Inzwischen ist das Olympiagelände in eine Freizeitlandschaft verwandelt

BÜCHER & FILME

Brick Lane – Monica Alis Roman (2003, verfilmt 2007) ist aktueller denn je: Geschichte einer bengalischen Einwanderin, mit Tragik und Humor erzählt

Die Lügen der anderen – Mark Billinghams Kriminalroman (2014) zeichnet ein Psychogram dreier Londoner Paare beim gegenseitigen Dinner

London NW – Tragikomischer Roman (2014) von Zadie Smith. Er zeigt eindringlich die Lebenswirklichkeit der Multikultibewohner eines Stadtteils

Liebe auf den zweiten Blick – Joel Hopkins nutzt London als Kulisse für eine Romanze zweier latent Unglücklicher (2009), gespielt von Dustin Hoffman (als Komponist) und Emma Thompson als (Flughafenangestellte)

Sherlock – Die TV-Serie der BBC (seit 2011) serviert eine moderne Version von Holmes (Benedict Cumberbatch) und Watson (Martin Freeman), die als ungleiche Partner verzwickte Fälle lösen

Spooks – im Visier des MI5 – In der TV-Serie (seit 2008) bekämpft eine Abteilung des britischen Inlandsgeheimdienstes den Terrorismus. Schauplatz: London mit seinen Überwachungskameras

worden. Jetzt kann jeder in Zaha Hadids Schwimmstadion unterm Wellendach planschen. Das Basketballteam der London Lions trainiert in der *Copper Box,* das Fußballteam von West Ham United trägt ab der Saison 2016/17 Premier-League-

Im Aquatics Centre wie ein Olympionik schwimmen

Spiele im hiesigen Stadion aus, und die Leichtathletik-Weltmeisterschaften 2017 sollen in London stattfinden. Im *VeloPark* darf jetzt geradelt werden, und auch das *Lee Valley Hockey & Tennis Centre* steht Besuchern offen. Viel Platz zum Relaxen und Spazierengehen, Spiel- und Picknickplätze bietet der Süden des Parks. Gleich nebendran: der ☆ *Arcelor Mittal Orbit*, ein Kunstturm, von dem sich eine neue Aussicht auf London öffnet. Der ruhigere nördliche Teil des Parks zeigt mehr Natur. Während die Kids sich auf dem Baumhaus-Hängebrücken-Spielplatz tummeln, plauschen die Eltern im nahen Café. Auf verschiedenen *trails* (Pfaden) kann man den Park entdecken – wie auf dem *Arttrail,* der zu Kunstwerken führt, z. B. zu den großen, farbigen Bleistiften ähnelnden Stahlspitzen von Keith Wilson im Waterwork-Fluss. Mit der eigens für die Spiele errichteten ☆ Seilbahn (zwischen North-Greenwich und Royal Victoria Docks) überquert man in luftiger Höhe die Themse und blickt auf London *(queenelizabetholympicpark.co.uk).* Shopper kommen im im *Westfield Stratford City Center* auf ihre Kosten.

POLITIK

Die Houses of Parliament gelten als Vorbild parlamentarischer Demokratie in aller Welt. Die zunächst vom dynamischen Erneuerer Tony Blair, dann vom glücklosen Schotten Gordon Brown geführte (New) Labour Partei wurde 2010 von einer konservativ-liberaldemokratischen Koalition unter Premierminister

David Cameron – dem jüngsten Premierminister seit 200 Jahren – und dem etwas konturlosen Nick Clegg abgelöst. Camerons Mantra der „Big Society", in der alle ihre Rollen und Verantwortlichkeiten finden, blieb nebulös, während Clegg vor allem von jungen Wählern der Doppelzüngigkeit bezichtigt wurde: Die Verdreifachung der Studiengebühren unter Brechung eines Lib-Dem-Wahlversprechens führte zu Straßenprotesten und sogar zu tätlichen Angriffen auf Charles' und Camillas Limousine. Währenddessen initiieren Aktivisten Proteste gegen große Steueroasen-Sparerfirmen und Blockaden großer Kaufhäuser in Zeiten öffentlicher Haushaltskürzungen. Bei einer Volksabstimmung sprach sich ganz Großbritannien 2011 gegen eine Reform des Wahlrechts aus. Cameron setzte sich für die Gleichstellung gleichgeschlechtlicher Paare ein; seit März 2014 ist die sogenannte Homoehe in England möglich. Nach den Wahlen im Mai 2015 kann die konservative Partei allein regieren und David Camerons umstrittene Europapolitik ist wieder aktuell: Er droht mit Austritt aus der EU, sollte es nicht einen grundlegenden Wandel geben. Ein Referendum der Briten 2017 soll darüber entscheiden. Bei den Belangen der Stadt hält der konservative, aber exzentrisch-quirlige Bürgermeister Boris Johnson die Zügel in der Hand. Als radelnder Bürgermeister führte er ein Netz umweltfreundlicher Leihräder ein und sorgte bei der Ausrichtung der Olympischen Sommerspiele für gute Stimmung. 2012 wurde ein von ihm initiierter Prototyp des von Thomas Heatherwick gestalteten neuen Routemaster-Doppeldeckermodells („Borismaster") auf die Straße geschickt.

SPORT

Wie sagte es doch einmal ein britischer Trainer treffend: „Es gibt Leute, die denken, Fußball ist eine Frage von Leben und Tod. Ich kann Ihnen versichern, dass es sehr, sehr viel ernster ist ..." London ist eine Sportstadt: Neben den großen Traditionsfußballclubs Arsenal, Chelsea und Tottenham (s. S. 124) gibt es die Ruderer auf der Themse, die Rugbyspieler im Park, Pubs mit Schildern „Watch the 6 Nations Here!", und dann natürlich: Wimbledon! Dass das älteste und renommierteste Rasentennisturnier der Welt wieder ansteht, erkennt man daran, dass es Ende Juni/Anfang Juli auffallend viel regnet! Seit es das Faltdach gibt, ist das aber kein Problem mehr – zumindest nicht für den Centre Court. Wimbledon will jeder Profi einmal gewinnen. Der britische Tennisstar Andy Murray holte historische Siege für die Nation: 2012 Olympiagold – das erste seit 100 Jahren! – und 2013 den Wimbledon Grand-Slam-Titel, erstmals seit 77 Jahren!

TEATIME

Trotz des Siegeszugs der Kaffeebars ist der schwarze Tee immer noch das Lebenselixier der Londoner. Mit jährlich 2,74 kg pro Kopf sind die Briten (nach den Iren) die zweitgrößten Teekonsumenten Europas. Eine *cup of tea,* kurz „cuppa", ist das erste, was einem bei Krisen jeglicher Art in die Hand gedrückt wird. Die ältere Generation trinkt Tee auch zum Abendessen zu Hause. Zu 98 Prozent wird der Tee *white,* mit Milch, getrunken. Die wenigsten Londoner machen sich noch die Mühe, losen Tee aufzubrühen, und ein Teebeutel verbringt heute im Schnitt nur noch 35 Sekunden im Becher *(mug).* Wen es nach einem Becher starken Tees mit Milch und zwei Stück Zucker verlangt, der fragt nach *Builders Tea,* nach „Bauarbeiter"-Art. In den letzten Jahren ist eine Renaissance der feinen Teekultur zu beobachten – zunehmend wird auch fair gehandelter Tee getrunken.

SEHENSWERTES

WOHIN ZUERST?
Trafalgar Square (146 A1) (*J–K6*): der ideale Ausgangspunkt fürs erste Mal. U-Bahn- und Zugbahnhof ist Charing Cross (Northern/Bakerloo Line), 100 m entfernt, auch passieren viele Busse den Platz. Wer Whitehall hinuntergeht, gelangt in 10 Min. zu den Houses of Parliament und Big Ben, London Eye und den Attraktionen des Themseufers. Durch den St James's Park ist schnell der Buckingham Palace erreicht, Kunstfans haben die National Gallery im Rücken, und Musikfreunde zieht es in die Kirche St-Martin-in-the-Fields.

Es ist wahr: Die schiere Reizfülle Londons kann den Besucher erschlagen. Versuchen Sie, nicht alles auf einmal zu sehen; Sie waren bestimmt nicht das letzte Mal hier!

Unzählige Baudenkmäler der Stadt sind gratis zu sehen; wo Eintrittspreise verlangt werden, sind diese allerdings oft sehr hoch. Mit den originalen roten ● Doppeldeckerbussen kann man auf zwei *Heritage Routes (9 und 15)* die Stadt entdecken. Der neue, nostalgisch anmutende Routemaster *Borismaster* (nach Bürgermeister Boris Johnson) bedient die Linien 8–11, 24, 38, 390. Auf den Routen 8, 11, 24 und RV1 erlebt man weitere City-Highlights. Themseboote bieten schöne Panoramablicke und verbinden viele Attraktionen. Eine Fahrt mit der

Bild: Tower Bridge

Spannende Architektur, steinerne Zeugen der bewegten Geschichte, Residenzen, grüne Oasen und berühmte Museen

vollautomatischen *Docklands Light Railway (DLR)* ist eine tolle Annäherung an das neue London, das mittlerweile im Osten herangewachsen ist *(www.dlr.co.uk)*. Gute Stadtführungen bietet u. a. *Original London Walks (£ 9 | Tel. 020 76 24 39 78 | www.walks.com)*. Die in London lebende Nina Ladusch führt INSIDER TIPP individuell und in deutscher Sprache mit vielen Tipps durch die City of London oder Westminster und Mayfair *(ab 6 Pers.: 4 Std., £ 25/Pers., 1–5 Pers.: Tour-Festpreis £ 125 | buchen unter: meinlondon-tours.de)*.

London gehört zu den Städten mit den wichtigsten ständigen Kunstsammlungen der Welt. Dazu haben Geschichte und Ausdehnung des British Empire sowie die Sammelleidenschaft der Viktorianer der Stadt eine einzigartige Museenlandschaft beschert. Die Briten gehen gern ins Museum – vielleicht, weil sich selbst die ehrwürdigsten Häuser nicht nur als seriöse Bildungseinrichtungen präsentieren, sondern auch viele interaktive Erlebnisse bieten. Der Großteil der Museen verlangt keinen Eintritt; was je-

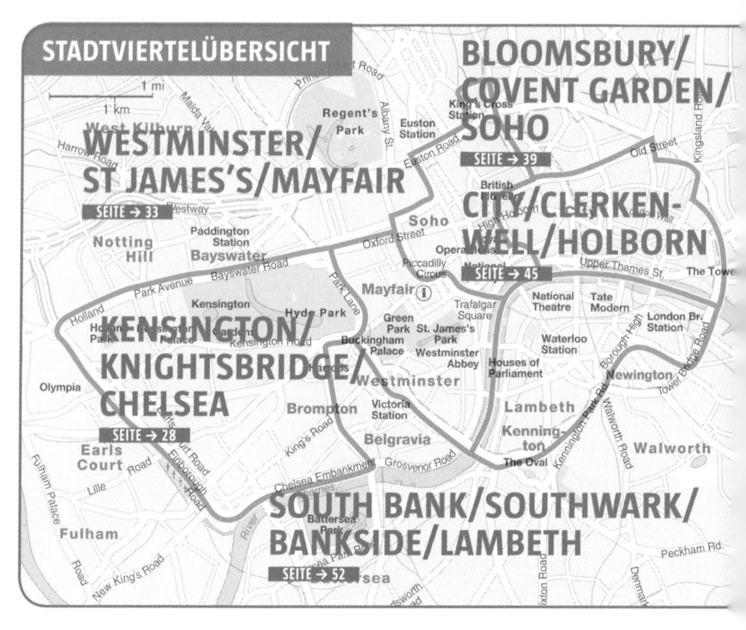

Die Karte zeigt die Einteilung der interessantesten Stadtviertel. Bei jedem Viertel finden Sie eine Detailkarte, in der alle beschriebenen Sehenswürdigkeiten mit einer Nummer verzeichnet sind

doch teuer werden kann, ist der Besuch von Sonderausstellungen, der Museumscafés und der verlockend präsentierten Souvenirläden *(gift shops)*. Tate Modern bietet Besuchern am Wochenende verlängerte Öffnungszeiten, andere Museen an bestimmten Wochentagen. Das Internetportal *www.culture24.org.uk* liefert Ihnen Informationen zu Öffnungszeiten und zu Sonderausstellungen, *www.allinlondon.co.uk* listet tagesaktuelle Ausstellungen auf. Während der Öffnungszeiten von Tate Britain und Tate Modern verkehrt das INSIDER TIPP *Tate Boat (einfache Fahrt mit Travelcard £ 4,50 | Tel. 020 78 87 88 88)*, ein Katamaran mit Damien Hirsts buntem Punktdesign, alle 40 Min. zwischen beiden Museen.

KENSINGTON/ KNIGHTS-BRIDGE/ CHELSEA

Viel Grün, edle Geschäfte und Kulturtempel prägen dieses Viertel. Chelsea, am westlichen Themseufer, hat nur vereinzelte Touristenattraktionen, doch hier war das Zentrum von „Swinging London", Rolling Stones und Minirock in den 60er-Jahren und der Punk-Bewegung der 70er.

Chelsea ist eine der besten Adressen der Stadt geblieben, heute allerdings eher mondän als Boheme. Fußballfans kennen Chelsea auch als die Heimat eines der reichsten Clubs der Ersten Liga. Club-Besitzer Roman Abramovich und andere Schöne und/oder Reiche haben es nicht weit zur Shoppingmeile der King's Road oder den Einkaufstempeln Harrods in *Knightsbridge* und Harvey Nichols in der Kensington High Street. In den 1980er-Jahren stand das Gebiet um den Sloane Square im Zeichen von Diana und anderen jungen begüterten Sloanies, 2008 brachte der Umzug der Saatchi Gallery frischen Wind in die Szene. In *South Kensington* drängt sich auf engstem Raum eine einzigartige Museumslandschaft, flankiert von kleinen Läden, Patisserien, Restaurants, der französischen Schule Londons und dem Goethe-Institut. Die großen Grünflächen zum Durchatmen, Hyde Park und Kensington Gardens, ziehen Spaziergänger, Skater, Reiter und Auf-Liegestuhl-Abhänger an.

1 ALBERT MEMORIAL (143 E2) (*🕮 D7–8*)

Queen Victorias geliebter Mann Albert aus dem Adelshaus Sachsen-Coburg-Gotha starb mit 42 Jahren. Das extravagant-neogotische Denkmal (1876), verziert mit Marmor, Mosaikglas, Halbedelsteinen, schuf George Gilbert Scott, der auch die rote Telefonzelle entwarf. Die vergoldete Statue zeigt Albert im Katalog zur Industrieausstellung *Great Exhibition* 1851 blätternd, zu seinen Füßen ein Fries mit Figuren aus Wissenschaft und Kunst. *Führungen (50 Min.) März–Dez. 1. So im Monat 14, 15 Uhr | £ 7 | Kensington Gardens | www.royalparks.org.uk | U-Bahn Central: Lancaster Gate*

2 CHELSEA PHYSIC GARDEN (0) (*🕮 F11*)

Londons verstecktester Garten, 1673 für Studenten der Medizin eingerichtet; mit pharmazeutischen Pflanzen

MARCO POLO HIGHLIGHTS

★ **Buckingham Palace**
Home, sweet home der Queen → S. 34

★ **Houses of Parliament & Big Ben**
Epizentrum britischer Politik in filigraner Neogotik → S. 36

★ **Tate Britain**
Alles, was Rang und Namen hat: britische Kunst von 1500 bis heute → S. 37

★ **Westminster Abbey**
Die Kirche der VIPs, gern genutzt für Hochzeiten → S. 37

★ **British Museum**
Beliebtestes Museum des Landes → S. 40

★ **National Gallery**
Alte Meister am Trafalgar Square → S. 43

★ **Windsor Castle & Eton College**
Schloss und Eliteschule im Grünen → S. 60

★ **St Paul's Cathedral**
Sir Christopher Wrens Glanzstück → S. 50

★ **Tower of London**
Hier sind die Kronjuwelen sicher → S. 50

★ **London Eye**
Ganz London im Blick → S. 54

★ **Tate Modern**
Moderne Kunst in spektakulärem Rahmen → S. 56

★ **Tower Bridge**
Londoner Wahrzeichen – begehbar → S. 56

★ **Greenwich**
Britische Seefahrergeschichte live → S. 57

★ **Kew Gardens**
Botanischer Garten der Extraklasse → S. 58

aus aller Welt, Steingarten und historischem Lehrgarten. Im Aug./Sept. wird Honig verkauft. *April–Okt. Di–Fr 11–18, So 11–18 Uhr | £ 9,90 | Swan Walk | 66 Royal Hospital Road | www.chelseaphysicgarden.co.uk | U-Bahn Circle, District: Sloane Square*

Hyde Park: eine der grünen Lungen Londons

3 CHEYNE WALK (0) *(🕮 D–E11)*
Spazieren Sie an den historischen Themseufer-Residenzen aus dem 17./18. Jh. entlang. Hier haben schon Sir Thomas More, der Schatzkanzler Heinrichs VIII., Maler und Dichter Dante Gabriel Rossetti, Fußballer George Best und Sänger Mick Jagger gewohnt. *www.rbkc.gov.uk | U-Bahn Circle, District: Sloane Square*

4 HYDE PARK ●
(144 A–C 1–2) *(🕮 E–F 6–7)*
Londons größter und bekanntester Park. Auf der *Rotten Row* bewegt die High Society ihre Pferde. An *Speakers' Corner* (136 B6) *(🕮 F6) (U-Bahn Central: Marble Arch)* darf seit 1872 jeder seine Meinung kundtun. In ganz Großbritannien dürfen sich nur hier politische Demonstrationen ohne polizeiliche Erlaubnis formieren; von hier starten alle wichtigen Kundgebungen. Neben der *Serpentine Bridge* steht die *Diana, Princess of Wales Memorial Fountain* (143 F2) *(🕮 E7)*, eine elegante Konstruktion aus einem Granitring mit Wasserspielen. *U-Bahn Piccadilly: Hyde Park Corner, Central: Marble Arch, Lancaster Gate, Queensway*

5 KENSINGTON PALACE
(143 D2) *(🕮 C7)*
Princess Dianas' Residenz nach der Trennung von Prince Charles, nun die der Prinzen Harry, William und dessen Frau Kate. Nach aufwendiger Renovierung ist eine Ausstellung zu Königin Victoria zu sehen. State Apartments mit Kleidern, auch von Prinzessin Di. INSIDER TIPP Gra-

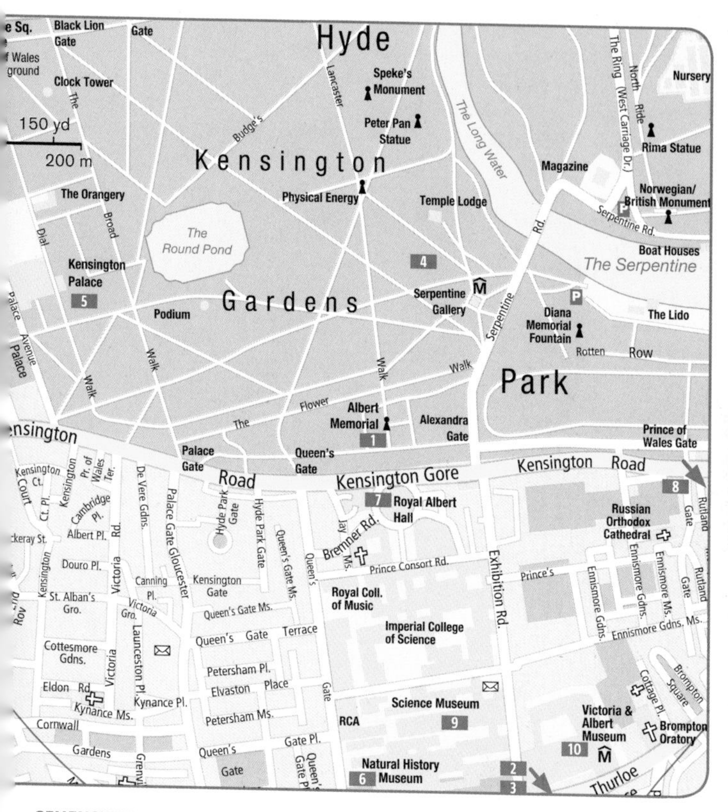

SEHENSWERTES IN KENSINGTON/KNIGHTSBRIDGE/CHELSEA

- 1 Albert Memorial
- 2 Chelsea Physic Garden
- 3 Cheyne Walk
- 4 Hyde Park
- 5 Kensington Palace
- 6 Natural History Museum
- 7 Royal Albert Hall
- 8 Saatchi Gallery
- 9 Science Museum
- 10 Victoria & Albert Museum

tis-Zutritt zum inneren Palast-Café-Bereich. *Tgl. 10–18 Uhr | £ 16,50 | www.hrp.org.uk | U-Bahn Circle, District: High Street Kensington*

6 NATURAL HISTORY MUSEUM (143 E–F4) (*D9*)

Mit seiner hellblauen und pinkfarbenen Terrakottabänderung und Tausenden von ornamentalen Tier- und Pflanzenskulpturen ist das monumentale neogotische Naturwissenschaftsmuseum das wohl schönste Museumsgebäude der Stadt. Der Mittelpunkt ist das 26 m lange Diplodocus-Saurierskelett in der kathedralenartigen Hintz Hall. Die Idee: Naturwissenschaft muss nicht langweilig sein. Dank Hightechsensoren verfolgt das lebensecht animierte Dinosauriermodell eines Tyrannosaurus Rex Ihre Bewegungen! In den *Earth Galleries* wird das Erdbeben im japanischen Kobe von 1995 in einem rekonstruierten Supermarkt simuliert. Spektakulär sind die Fotos und Gemälde in der „Images of Nature"-Galerie und der interaktive Film zum Thema Evolution.

Das *Darwin Centre* zeigt in einem spektakulären Anbau zoologische Raritäten, Missbildungen und Kuriositäten in Glasgefäßen. Eine kostenlose *Spirit Collection Tour* (Kinder nicht unter 8 Jahre) präsentiert INSIDER TIPP Riesentintenfisch „Archie", der 8,50 m lang ist! Sehen Sie auch, was Charles Darwin einst von seiner Forschungsreise auf der „Beagle" mit nach Hause brachte, und blicken Sie den heutigen Wissenschaftlern bei der Arbeit über die Schulter. *Tgl. 10–17.50 Uhr | Eintritt frei | Cromwell Road | www.nhm.ac.uk | U-Bahn Circle, District, Piccadilly: South Kensington*

7 ROYAL ALBERT HALL

(143 E3) (*D8*)

Die berühmte, backsteinrote und kreisrunde Konzerthalle wurde 1871 eröffnet und bietet heute ein breites Programm. Besuchen Sie ein *Sommer-Proms-Konzert (£ 8–65 | Tel. 0845 4015034)*. *Führungen an unterschiedlichen Tagen (unbedingt vorbuchen) | £ 12,25 | Tel. 0845 4015045 | www.royalalberthall.com | Kensington Gore | U-Bahn Circle, District, Piccadilly: South Kensington*

8 SAATCHI GALLERY

(144 B5) (*F9–10*)

Werbemogul Charles Saatchi, seit langem einer der wichtigsten Förderer neuer britischer Künstler, zeigt heute eher internationale zeitgenössische Kunst: Malerei und Installationen. *Tgl. 10–18 Uhr | Eintritt frei | Duke of York's Headquarters King's Road/Sloane Square | www.saatchi-gallery.co.uk | U-Bahn Circle, District: Sloane Square*

Kann man nicht drüber stolpern: das Dinosaurier-Skelett im Natural History Museum

9 SCIENCE MUSEUM

(143 F4) (*D8*)

Im Wissenschaftsmuseum wird die rasante Entwicklung technischer Errungenschaften anschaulich gemacht: von der ersten Dampflokomotive, „Puffing Billy" (1813), über die *Burnley Mill Engine*, deren riesiges Rad einmal 1700 Webstühle antrieb, bis zu einer Rekonstruktion der Mondlandekapsel Apollo. Es gibt Abteilungen zur Flug-, Energie- und Informationstechnik, zu Medizin und Raumfahrt. Die Galerie *Atmosphere* beschäftigt sich mit dem Klimawandel. In der interaktiven Galerie *Who am I* wird gefragt, warum wir lächeln, schlau sind und was uns einzigartig macht. Die Abteilung *Information Age* zeigt die Entwicklung vom ersten Telefon bis zum Internet. Toller Souvenirshop! *Tgl. 10–18 Uhr | Eintritt frei | Exhibition Road | www.sciencemuseum.org.uk | U-Bahn Circle, District, Piccadilly: South Kensington*

10 VICTORIA & ALBERT MUSEUM ●

(143 F4) (*D–E 8–9*)

Das kurz V & A genannte Museum ist das weltgrößte für angewandte Kunst und Kunstgewerbe: Skulpturen, Porzellan, Kleidung, Mobiliar, Glas, Silber, Sakralkunst aus Europa, Amerika und Asien. Sehen Sie in den *British Galleries* neben kompletten Interieurs auch Stücke der Arts-and-Crafts- und Art-Nouveau-Bewegung von William Morris und Charles Rennie Mackintosh und den Hochzeitsanzug von König James II. (17. Jh.). Die 24 m hohen *Cast Courts* beherbergen einige der größten klassischen Skulpturen Europas. Aktuelle Ausstellungen ergänzen die Sammlung. *Tgl. Gratisführungen 10.30–15.30 Uhr stdl. | tgl. 10–17.45, Fr Teile der Ausstellung bis 22 Uhr | Eintritt frei | Cromwell Road/Exhibition Road | www.vam.ac.uk | U-Bahn Circle, District, Piccadilly: South Kensington*

WESTMINSTER/ ST JAMES'S/ MAYFAIR

In diesem Viertel begegnen Sie dem London der Postkartenmotive, des konservativ geprägten Establishments und, ja, der Stereotypen.

In *Westminster*, als dem westlichen Kernstück des alten Londinium und Gegenpol zur City, konzentrieren sich die Tempel weltlicher und spiritueller Macht: Parlament, Paläste und Prunk-Kathedralen. Hinter für Normalsterbliche verschlossenen Türen verbirgt sich die Welt der ehrwürdigen St-James-Gentlemen-Clubs, ein Standbein in London für Adlige und ein Networking-Ort der Old Boys, die sich schon von den richtigen Schulen und Universitäten kennen. Der Pfeifenrauch der Entscheidungsträger, der in den holzgetäfelten Räumen aus den Ledersesseln aufstieg, gehört seit 2007 der Vergangenheit an: Auch Privatclubs sind nicht vom Rauchverbot ausgenommen! In den grünen Oasen *Green Park* und ● *St James's Park* können Sie entspannen. Einen Liegestuhl mieten und durchatmen! *Mayfair* ist das teuerste Quadrat auf dem Londoner Monopoly-Board; kein Zufall, dass Madonna sich hier gleich drei Häuser kaufte. In Grosvenor Square sitzt die Politikfirma von Ex-Premier Tony Blair, die sich u. a. dem Dialog zwischen den Religionen widmet. Hier stehen repräsentative Villen, Botschaften, schicke Hotels,Nightclubs und verlaufen Edel-Einkaufsstraßen mit Herren- und Damenausstattern, die nichts mit der nördlich angrenzenden Plebs-Einkaufsmeile Oxford Street zu tun haben wollen.

1 BANQUETING HOUSE (146 A2) (🕮 K7)

Vor Inigo Jones' klassizistischem Bau, dem letzten Rest des riesigen Whitehall Palace, der 1698 abbrannte, wurde 1649 der letzte Stuart-König, Charles I., geköpft. Zuvor hatte Charles noch den Maler Peter Paul Rubens mit den prachtvollen Deckengemälden im 1. Stock beauftragt: Sie glorifizieren die Herrschaft seines Vaters, James I., in reicher Symbolik. *Tgl. 10–17 Uhr | £ 6, Kinder unter 16 J. freier Eintritt | Whitehall | www.hrp.org.uk | U-Bahn Jubilee, Circle, District: Westminster*

2 BUCKINGHAM PALACE ★ (145 D–E3) (🕮 H8)

Seit Königin Victorias Thronbesteigung 1837 ständige Residenz des britischen Monarchen in London. Das gewaltige *Victoria Memorial* vor der Ostfassade gedenkt der Königin, die ein Zeitalter bestimmte. Wenn Elizabeth II. zu Hause ist, weht die rot-gold-blaue Royal-Standardflagge vom Dach des klotzigen klassizistischen Gebäudes (1703), wenn nicht, der britische Union Jack. Im August und September, während der schottischen Sommerfrische der Queen, sind zwei Dutzend der über 700 Zimmer fürs Publikum geöffnet *(£ 20,50 inkl. Audioguide, Dauer 2–2,5 Std. | www.royalcollection.org.uk)*. Ständig zugänglich sind die neoklassizistische INSIDER TIPP *Queen's Gallery (tgl. 10–17.30 Uhr | £ 9,75)* mit den Schätzen der riesigen königlichen Sammlung alter Meister und der königliche Marstall, *Royal Mews* (145 D3) *(🕮 H8) (Feb.–März, Nov. Mo–Sa 10–16, April–Okt. tgl. 10–17 Uhr | £ 9 inkl. Audioguide)*, mit Her Majesty's Pferden und der prachtvoll vergoldeten Staatskarosse aus dem 18. Jh. Bei der berühmten ● Wachablösung *(Changing the Guard | Mai–Juli tgl. 11.30 Uhr, Aug.–März jeden 2. Tag (außer bei Regen) | www.changing-guard.com)* marschiert eine Abteilung der königlichen Infanterie *(Queen's Foot Guards)* zu Marschmusik von den Welling-

Prächtige Wappen zieren die Tore von Buckingham Palace

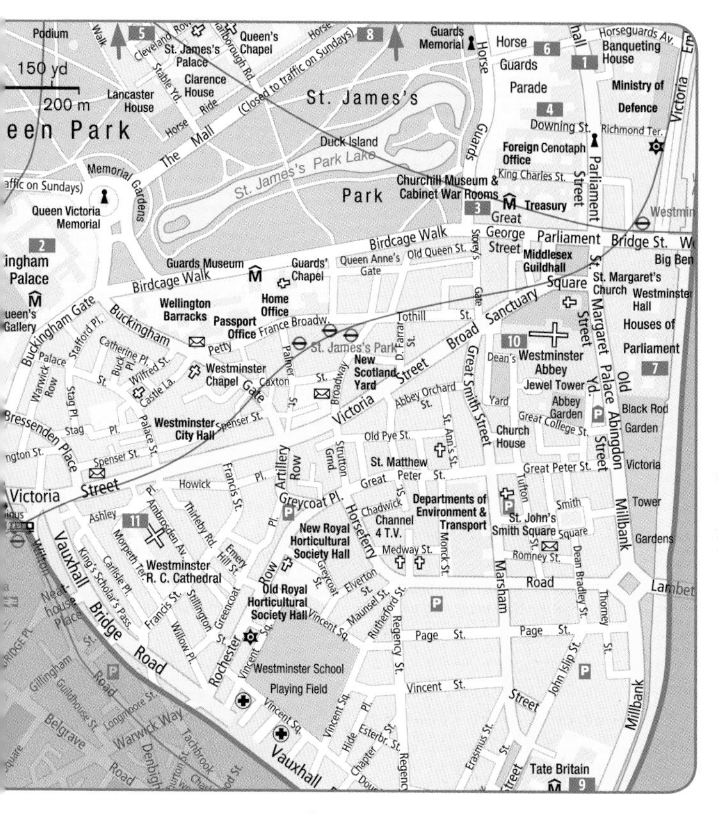

SEHENSWERTES IN WESTMINSTER/ST JAMES'S/MAYFAIR

1 Banqueting House
2 Buckingham Palace
3 Churchill War Rooms
4 Downing Street
5 Handel House Museum
6 Horse Guards Building
7 Houses of Parliament & Big Ben
8 Savile Row
9 Tate Britain
10 Westminster Abbey
11 Westminster Cathedral

ton Barracks zum Buckingham Palace. *U-Bahn Victoria*

3 CHURCHILL WAR ROOMS
(146 A2) (*🕮 J7*)

Kartenraum, Gasmasken, Mikrofon für die Ansprachen: In Winston Churchills unterirdischer Befehlszentrale während des Zweiten Weltkriegs ist die Zeit am 16.8.1945 stehen geblieben. Folgen Sie der Lebensgeschichte des großen Staatsmanns (1874–1965), der 1940–45 Premier- und Verteidigungsminister zugleich war. *Tgl. 9.30–18 Uhr | £ 16,35 (inkl. Audioguide), £ 18 mit „donation" | Clive Steps | King Charles Street | www.iwm.org.uk/visits/churchill-war-rooms | U-Bahn Circle, District: St James's Park*

4 DOWNING STREET
(146 A2) (🗺 J–K7)

In dieser (abgesperrten) Seitenstraße von Whitehall residieren hinter der bekanntesten Haustür der Welt seit 1735 die britischen Premierminister. Als erster Kater wohnt seit 2011 Larry, der „Chef-Mäusefänger", im Haus, um der Mäuse- und Rattenplage Herr zu werden. Nebenan (Nr. 11) wohnt der Schatzkanzler. *www.number10.gov.uk | U-Bahn Circle, District, Jubilee: Westminster*

5 HANDEL HOUSE MUSEUM
(137 D6) (🗺 G6)

Georg Friedrich Händel, deutscher Barockkomponist und Wahlengländer, lebte von 1723 bis zu seinem Tod 1759 in dem Haus in Mayfair und komponierte hier einige bekannte Werke, u.a. den „Messias" und die „Feuerwerksmusik". Zu sehen sind Briefe, Noten, Gemälde. *Do 18.30 Uhr Konzerte (£ 9 inkl. Museum) | Di/Mi, Fr/Sa 10–18, Do 10–20, So 12–18 Uhr | £ 6,50 | 25 Brook Street | Kartentel. 020 73 99 19 53 | www.handelhouse.org | U-Bahn Central, Jubilee: Bond Street*

6 HORSE GUARDS BUILDING
(146 A2) (🗺 K7)

Zur traditionellen ● Wachablösung der zwölf Kavalleristen der Queen's Life Guard *(Mo–Sa 11, So 10 Uhr)*, die mit unbewegter Miene und Bärenfellmütze die Queen schützen, bilden sich immer Trauben. Das Gebäude wurde im 18. Jh. im palladianischen Stil zwischen der Ministerienmeile Whitehall und der Horse Guards Parade erbaut. Nur Mitglieder der Royal Family dürfen durch den Torbogen fahren. Faszinierend das *Household Cavalry Museum (www.householdcavalrymuseum.co.uk)*, das die Geschichte des Regiments erzählt. Sie sind nur durch eine Plexiglasscheibe von den Pferden getrennt! *Whitehall | U-Bahn Charing Cross*

7 HOUSES OF PARLIAMENT & BIG BEN ★ (146 A3) (🗺 K8)

Die *Houses of Parliament*, die „Mutter aller Parlamente", kennt man von unzähligen Postkarten, Untersetzern und Kühlschrankmagneten. Doch wer Charles Barrys Glanzstück spätviktorianischer Neogotik mit seinen goldenen Türmchen, Fialen und Filigranwerk zum ersten Mal live sieht, wird nicht enttäuscht sein. Die imposante *Westminster Hall* von 1099 mit ihrem Eichen-Hammerbeam-Dach ist das Einzige, was von dem mittelalterlichen *Palace of Westminster* noch übrig ist. Der Glockenturm, zum 60. Thronjubiläum in *Elizabeth Tower* umbenannt, ist ein Wahrzeichen Londons. Die berühmte, 13 t schwere Glocke *Big Ben* schlägt seit 1859 jede Stunde. Hier debattieren das Unterhaus *(House of Commons)*, die Legislative, und das Oberhaus *(House of Lords)*, das Gesetze nur mehr verzögern kann. Nur noch 92 erbliche Lords sitzen hier, und die Reform des Oberhauses bleibt ein harter Knochen für die Politik. Wie lebendig die Debatten sind, die öffentlich geführt werden, kann man z. B. im Unterhaus verfolgen: *Mo 14.30–22.30, Di/Mi 11.30–19.30, Do 9.30–17.30, manchmal Fr 9.30–15 Uhr.* **INSIDER TIPP** Die imposanten Räume von Ober- und Unterhaus kann man samstags bei einer Führung bestaunen: *9.15–16.30, in Deutsch: 10.20, 12.40, 15.20 Uhr | Dauer 75 Min. | £ 25 | Tel. 020 72 19 41 14 | www.parliament.uk | U-Bahn Circle, District, Jubilee: Westminster*

8 SAVILE ROW (137 E6) (🗺 H6)

Diese Seitenstraße gilt seit Mitte des 19. Jhs. als die feinste Herrenschneider-Straße Londons. In den 1960er-Jahren legte sich Savile Row ein neues Image zu und kleidete auch Mick Jagger und die Beatles ein, die hier im Apple-Records-Studio (Nr. 3) ihre Aufnahmen machten.

Eine der bekanntesten Adressen für einen *sharp suit* ist heute der unkonventionelle *Ozwald Boateng* an der Ecke Clifford Street. *www.savilerowbespoke.com | U-Bahn Oxford Circus*

9 TATE BRITAIN ★
(146 A5) (*🕮 J–K9*)

Nach zweijährigen Renovierungen erstrahlen Teile des neoklassizistischen denkmalgeschützten Gebäudes in neuem Glanz. Die Sammlung britischer Kunst vom 16. Jh. bis heute geht auf den Zuckermagnaten Sir Henry Tate zurück und umfasst die moralisch-narrativen Gemälde William Hogarths, die poetisch-religiösen Visionen William Blakes, die pastoralen Landschaften Thomas Gainsboroughs und John Constables, die Natur- und Frauenmystik der Präraffaeliten, die verstörende Bildwelt eines Francis Bacon und die anthropomorphen Skulpturen Henry Moores. Nicht versäumen: die „Turners" in der *Clore Gallery*. Joseph Mallard William Turner (1775–1851) ist ein Meister des stimmungsvollen Spiels mit Licht und Schatten. Jedes Jahr ab Mitte Oktober zeigt Tate Britain das Werk jener vier Künstler, die für den wichtigen *Turner Prize*, der im Dezember verliehen wird, in die engere Wahl gekommen sind. *Tgl. 10–18 Uhr | kostenlose Führungen tgl. 11, 12, 14, 15, am 1. Fr jedes 2. Monats 18–22 Uhr Entertainment, am Wochenende Workshops | Millbank | www.tate.org.uk | U-Bahn Victoria: Pimlico*

10 WESTMINSTER ABBEY ★
(146 A3) (*🕮 K8*)

Krönungskirche der Royals und Grabkirche der High Society. Edward the Confessor ließ sich hier 1066 eine Kirche bauen und starb eine Woche nach ihrer Weihung. Edwards Nachfolger William the Conqueror wurde am Weihnachtstag 1066 zum König gekrönt. Vom Originalbau ist zzt. nur die normannische Krypta zu besichtigen. Das gotische Kirchenschiff des Neubaus (13. Jh.) ist gefüllt mit über 600 Denkmälern, Gedenktafeln und Grabplatten. Die *Henry VII Chapel* aus dem frühen 16. Jh. ziert ein spektakuläres Fächergewölbe im „Perpendicular Style". 3300 berühmte Briten liegen hier begraben: Wissenschaftler wie Isaac Newton und Charles Darwin, Komponisten wie Henry Purcell und Georg Friedrich Händel und Politiker wie William Pitt der Jüngere und W. E. Gladstone. In

Moderner Brunnen und Big Ben

Poets' Corner finden Sie die Gräber von Geoffrey Chaucer („Canterbury Tales", 1400) und Charles Dickens. An viele andere erinnern Gedenktafeln. Dramatiker Ben Jonson ließ sich 1637 aus Kostengründen stehend beerdigen! Achten Sie auf die Gedenkstatue des 1945 ermordeten deutschen Theologen Dietrich Bonhoeffer über dem Hauptportal. Die beiden Türme wurden 1745 von Christopher Wrens Schüler Nicholas Hawksmoor (1661–1736) hinzugefügt. 1953 verfolgten hier über 8000 Menschen die Krönung von Elizabeth II. live mit; 2011 hingegen weltweit 2,5 Mrd. Menschen für Will & Kate vor den Fernsehgeräten. Kommen Sie früh oder nehmen Sie werktags an einem ● INSIDER TIPP Abendgottesdienst, dem *Evensong*, teil *(17, Sa/So 15 Uhr | Eintritt frei). Mo, Di, Do, Fr 9.30–15.30, Mi bis 18, Sa bis 13.30 Uhr, So nur Gottesdienste | £ 18 inkl. Audioguide (auch als Download), Führungen £ 5 (vorbuchen) | Tel. 020 76 54 48 34 | 20 Dean's Yard | www.westminster-abbey.org | U-Bahn Circle, District, Jubilee: Westminster*

11 WESTMINSTER CATHEDRAL ●
(145 E4) *(H9)*

Spektakulärer, backsteinrot und weiß gebänderter, neobyzantinischer Kirchenbau mit Campanile. Das Innere der 1895 begonnenen Kathedrale der römisch-katholischen Minderheitsreligion wird laufend vervollständigt: Marmor und Mosaikkacheln wachsen die Backsteinwände hinauf. Achten Sie auf die Kapelle *Holy Souls* im nördlichen Seitenschiff, für die über 100 Marmorsorten verarbeitet wurden, den Baldachin auf gelben Marmorsäu-

Westminster Abbey, die Krönungskirche der englischen Könige: Blick auf den Hauptaltar

len über dem Hochaltar und den Flachrelief-Kreuzweg von Eric Gill (1918). Ein Lift *(Mo–Fr 9.30–17, Sa/So bis 18 Uhr | £ 5)* bringt Sie zur Aussichtsplattform. *Mo–Fr, So 7–19, Sa 8–19 Uhr | 42 Francis Street | www.westminstercathedral.org.uk | U-Bahn Victoria*

BLOOMSBURY/COVENT GARDEN/SOHO

Als Puffer zwischen dem Machtzentrum Westminster und der Geldmaschine der City sind Covent Garden und Soho für Spaß und Shopping zuständig. Hier im international geprägten West End stehen die Theater, Musicals und größten Kinos und viele alternative Läden neben den großen Labels.

Der Name Soho leitet sich von einem Jagdruf ab; aus den Jagdgründen der Royals wurde das Viertel der Peepshows und Stundenhotels. Präsent ist die Sexindustrie noch immer, dennoch ist Soho heute in erster Linie Ausgehviertel und, vor allem um die Old Compton Street, der Paradeplatz der Schwulenszene. Lassen Sie sich in einer Rikscha durchs Gewühl fahren und erkunden Sie die Läden, Restaurants und Torbögen im Pagoden-Look von Chinatown entlang Gerrard und Lisle Street. In Soho schlägt das Herz der britischen Kreativindustrie: Trendig gekleidete Filmproducer, Werbemenschen und Design-Consultants besprechen an kleinen Cafétischen Skripte und Drehtermine, oft bedient von hoffnungsfrohen Schauspielstudenten. Wer's gern literarischer mag, spaziert duch das nördlich angrenzende *Bloomsbury*, mit Straßenzügen voller blauer Gedenktafeln für illustre Ex-Bewohner und grünen Plätzen *(squares)* mit schönen georgianischen Residenzen – Russell Square ist der größte Platz in London! Achten Sie am westlichen Ende auf die grüne viktorianische Taxifahrer-Snackbude, ein denkmalgeschützter *Cabman's Shelter* mit günstigem Tee und Sandwiches für Taxifahrer – und Touristen, wenn Sie nett fragen. In der Gegend entstand zwischen den Weltkriegen der Zirkel der Bloomsbury Group-Literaten um Virginia Woolf, hier finden sich der Kulturtempel British Museum neben antiquarischen Buchhandlungen und die University of London. Nach Norden grenzt das Viertel an King's Cross, auch hier ist die Stadt in einem Umgestaltungsprozess mit vielen neuen Bauten und der Neunutzung von Gelände.

1 ALL SAINTS (137 E5) *(🕮 H5)*
Schräg gegenüber vom buddhistischen Fo Guang Shan Temple finden Sie das Kontrastprogramm dazu: die Kirche mit der extravagantesten Innenausstattung Londons. Die geometrischen Mosaiken, farbigen Fliesen, verspielten Säulen und Weihrauchwolken sind Ausdruck des anglo-katholischen High-Church-Stilempfindens. *Tgl. 7.30–19 Uhr | 7 Margaret Street | www.allsaintsmargaretstreet.org.uk | U-Bahn Bakerloo, Central, Victoria: Oxford Circus*

2 BRITISH LIBRARY
(138 A1–2) *(🕮 J–K 2–3)*
Die Nationalbibliothek erhält ein Exemplar von jedem in Großbritannien veröffentlichen Buchtitel; mit über 170 Mio. Werken platzt das umstrittene Gebäude von 1997 jetzt schon aus allen Nähten. Dem Publikum zugänglich ist unter anderem die *Sir John Ritblat Gallery (Eintritt frei)* mit wertvollen Manuskripten wie z. B. den Lindisfarne Gospels (8. Jh.), der Magna Carta von 1215 und den Beatles-Songtexten. *Mo, Fr 9.30–18, Di–Do 9.30–20, Sa 9.30–17, So 11–17 Uhr | 96 Euston Road | www.bl.uk | U-Bahn King's Cross/St Pancras*

3 BRITISH MUSEUM ★ ●
(138 A4) *(🕮 J–K4)*
Weltberühmtes Nationalmuseum und Londons populärste Attraktion. Der neoklassizistische *Greek-Revival*-Stil des Gebäudes wird innen wunderbar durch den von Norman Foster mit einem gläsernen Zeltdach geschlossenen *Great Court (Sa–Do 9–18, Fr 9–20.30 Uhr)* komplementiert. Dieser größte überdachte Innenraum in Europa umfasst das überkuppelte Rondell des berühmten Lesesaals, in dem Karl Marx „Das Kapital" schrieb. Am besten beschränken Sie sich bei Ihrem Besuch auf die Highlights: auf die Schätze der *Sutton-Hoo*-Schiffsbestattung des angelsächsischen Stammesfürsten Redwald (7. Jh.), die *Lewis*-Schachfiguren (12. Jh.), die *Lin-*

Norman Fosters kühnes Glasdach überspannt den Great Court des British Museum

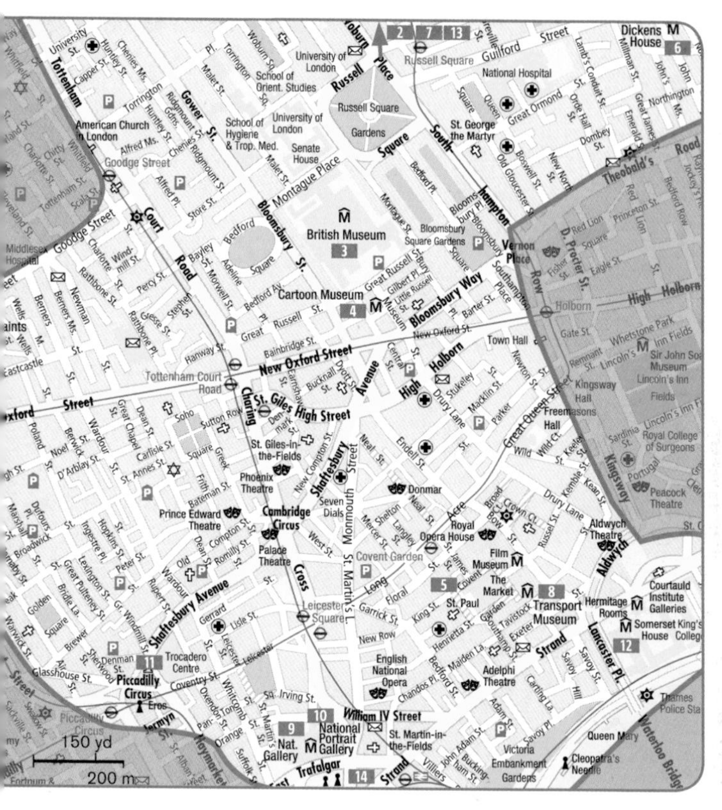

SEHENSWERTES IN BLOOMSBURY/COVENT GARDEN/SOHO

Fußgängerzone

- 1 All Saints
- 2 British Library
- 3 British Museum
- 4 Cartoon Museum
- 5 Covent Garden Piazza
- 6 Dickens' House
- 7 King's Cross Station
- 8 London's Transport Museum
- 9 National Gallery
- 10 National Portrait Gallery
- 11 Piccadilly Circus
- 12 Somerset House
- 13 St Pancras
- 14 Trafalgar Square

dow-Man-Torfmumie oder auf die ägyptischen *Rosetta-Stone*-Hieroglyphen. Ein heißes Eisen bleiben die *Elgin Marbles*, Marmorstatuen, Reiterskulpturen und Friese aus dem 5. Jh. v. Chr., die von Lord Elgin Anfang des 19. Jhs. vom Athener Parthenon nach England verschifft und von Athen jetzt zurückverlangt werden. *Mo–Do, Sa/So 10–17.30, Fr 10–20.30 Uhr | Eintritt frei | Multimedia-Guide (auch deutsch) £ 5 | tgl. „Eye Opener"-Führungen; Lunchtime-Vorträge Di–Sa 13.15 Uhr kostenfrei, Fr-Abend Spotlight-Touren | Great Russell Street | www.britishmuseum.org | U-Bahn Central, Northern: Tottenham Court Road*

4 CARTOON MUSEUM (138 A4) (*K5*)

Die Briten erfanden den Cartoon als Kunstform, 2006 eröffnete das erste Cartoonmuseum des Landes, einen Steinwurf vom British Museum entfernt. Lesen Sie ein paar Seiten von „Beano", dem Comic-Helden, mit dem viele Londoner aufgewachsen sind. Wechselnde Ausstellungen, witzige Grußkarten. *Mo–Sa 10.30–17.30, So 12–17.30 Uhr | £ 7 | 35 Little Russell Street | www.cartoonmuseum.org | U-Bahn Central, Northern: Tottenham Court Road*

5 COVENT GARDEN PIAZZA (138 A6) (*K6*)

Hier treffen sich vor allem am Wochenende mehr Touristen als Londoner, doch die Straßen um den von Inigo Jones (1573–1652) umgestalteten alten Obst- und Gemüsemarkt sind einfach schön zum Shoppen, Bummeln und *people watching*. St Paul's ist die Kirche der Schauspieler, mit Gedenksteinen für Charlie Chaplin und Boris Karloff. *U-Bahn Piccadilly: Covent Garden*

6 DICKENS' HOUSE (138 B3) (*L4*)

Charles Dickens' (1812–70) viktorianische Bestseller haben das London-Bild dieser Zeit auch außerhalb Englands maßgeblich geprägt. In diesem Haus schrieb der weltberühmte Romancier „Oliver Twist" und „Nicholas Nickleby". Zu sehen sind u. a. Dickens-Briefe, Manuskripte und sein Schreibtisch. Das Museum wurde 2012 anlässlich des 200. Geburtstag des Dichters vollständig renoviert. *Tgl. 10–17 Uhr | £ 8 | 48 Doughty Street | www.dickensmuseum.com | U-Bahn Central: Chancery Lane, Piccadilly: Russell Square*

7 KING'S CROSS STATION (138 A1) (*K2*)

Der zentrale Bahnhof wurde bis 2013 umfangreich renoviert, u.a entstanden eine moderne Schalterhalle, Fußgängerbrücken, barrierefreie Bahnsteigzugänge und die historische Fassade kommt zu neuen Ehren. In King's Cross stiegen Harry Potter & Co. in den „Hogwarts Express". Eine Installation zum berühmten 9¾-Gleis befindet sich in der Eingangshalle neben dem Harry-Potter-Shop. Das nördliche Bahnhofsgelände ist im Umgestaltungsprozess. Drumherum wird ebenfalls viel saniert, z. B. der Kulturkomplex *King's Place (www.kingsplace.co.uk)*, die Heimat der linksliberalen Zeitung „Guardian". *U-Bahn King's Cross/St Pancras*

8 LONDON'S TRANSPORT MUSEUM (138 B6) (*K6*)

Dieses spannende Museum geht der Frage nach: Wie haben sich die Londoner im Laufe der Jahrhunderte fortbewegt? Ex-

LOW BUDG€T

So viel in London ist *free*. Die Websites *www.whatsfreeinlondon.co.uk, www.londonfreebies.co.uk* und *www.londonforfree.net* listen Führungen, Festivals, Ausstellungen, Tage der Offenen Tür, kulturelle Veranstaltungen für umsonst oder höchstens £ 4 auf.

Bei touristischen Attraktionen kann man durch Online-Buchungen häufig sparen, wie auch mit Kombinieren: London Eye mit Themsefahrt oder Kirchenbesuch mit Konzert.

Im Sommer gibt's im Rahmen des *More London Free Festivals* Filme, Musik und Theater an der Themse gratis *(www.morelondon.com/events/calendar)*.

Früher wurden in der Central Hall von Covent Garden Piazza Blumen und Gemüse verkauft

ponate von der Pferdekutsche über die erste U-Bahn bis zu modernen Fortbewegungssystemen. Witzige Souvenirs im Shop. *Sa–Do 10–18, Fr 11–18 Uhr | £ 15 (mit „donation" £ 18,75) | 39 Wellington Street | www.ltmuseum.co.uk | U-Bahn Piccadilly: Covent Garden*

9 NATIONAL GALLERY ★
(146 A1) (*J6*)

1838 wurde der mächtige Bau mit dem Säulenportikus am Trafalgar Square fertiggestellt. Er beherbergt heute eine der weltweit bedeutendsten Sammlungen Alter europäischer Meister (1250 bis 1900). Nicht verpassen sollten Sie z. B. Jan Van Eycks „The Arnolfini Wedding", John Constables „The Hay Wain" und Raffaels „Madonna of the Pinks" (1507/08). Stimmungsvoll: Beim INSIDER TIPP langen Museumsabend am Freitag gibt es Livemusik, Spezialführungen und Vorträge. *Sa–Do 10–18, Fr 10–21 Uhr | tgl. Gratisführungen 11.30 und 14.30 Uhr | Eintritt frei | Trafalgar Square | www.nationalgallery.org.uk | U-Bahn Bakerloo, Northern: Charing Cross*

10 NATIONAL PORTRAIT GALLERY ●
(146 A1) (*J6*)

Unterhaltsame Art, sich britischer Geschichte zu nähern: Porträts aus fünf Jahrhunderten, von Tudor-Königin Elizabeth I. und dem einzigen bekannten Bild William Shakespeares zu den aktuellen Porträts der Queen und anderer VIPs. Einen tollen Blick über Trafalgar Square, Whitehall und Houses of Parliament bietet das *Portrait Restaurant*. Audiovisueller Guide mit Highlights, Filmen und Interviews *£ 3*. Eine App *(in Engl., £ 1,50)* gibt's jetzt auch. *Mo–Mi, Sa/So 10–18, Do/Fr bis 21 Uhr, Fr häufig Livemusik | Eintritt frei | 2 St Martin's Place | www.npg.org.uk | U-Bahn Bakerloo, Northern: Charing Cross*

11 PICCADILLY CIRCUS (137 F6) (*J6*)

Traditioneller Treffpunkt unter riesigen Leuchtreklamen mit der schlanken Eros-Statue aus Aluminium im Zentrum, aufgestellt 1892 zum Gedenken an Lord Shaftesbury. Der Engel mit dem Pfeil symbolisiert christliche Nächstenliebe. *U-Bahn Bakerloo, Piccadilly: Piccadilly Circus*

12 SOMERSET HOUSE (138 B6) (*L6*)

Faszinierender Museumskomplex am Themseufer mit schöner Caféterrasse und häufig (Gratis-)Events im Innenhof: im Sommer kühlende Fontänen, im Winter Londons romantischste Schlittschuhbahn. Die *Courtauld Gallery* bietet eine hervorragende Kunstsammlung (Impressionisten, 20. Jh.), die *Embankment Galleries* zeigen zeitgenössische Wechselausstellungen mit Themseblick. *Tgl. 10–18 Uhr | ab £ 7 | Strand | www.somersethouse.org.uk | U-Bahn Circle, District: Temple oder Embankment*

13 ST PANCRAS (138 A1–2) (*K2*)

Eine atemberaubende Fassade besitzt George Gilbert Scotts grandioses neogotisches *Midland Grand Hotel (*schloss 1935, 2011 als *Renaissance St Pancras* wiedereröffnet*)*, ein spätviktorianischer Backsteinbau mit Terrakottabänderung und Spitzbögen, Türmchen, Erkern und Schornsteinköpfen vor der St-Pancras-Bahnhofshalle. Hier kommt der *Eurostar* an, nur 30 Minuten nachdem der Zug bei Folkestone den Kanaltunnel verlässt. Unter der berühmten Bahnhofsuhr türmt sich die 9 m hohe, massive Bronzestatue eines küssenden Pärchens. Drumherum Cafés, Boutiquen und Europas längste Champagnerbar – wie wäre es mit einem prickelnden Rosé aus Südengland? *www.stpancras.com | U-Bahn King's Cross/St Pancras*

14 TRAFALGAR SQUARE (146 A1) (*J–K6*)

Mit der 50 m aufragenden *Nelson's Column*, Löwenspringbrunnen und Reiterstandbildern das eigentliche Herzstück Londons. Das Reiterstandbild von Charles I. markiert auf einer Verkehrsinsel an der Südseite des Platzes die geografische Mitte Londons. Der Platz trägt den Namen jener gewonnenen Seeschlacht gegen eine französisch-spanische Flotte, die Admiral Nelson das Leben kostete. Die *St-Martin-in-the-Fields-Kirche (Mo, Di, Do, Fr 8.30–13, 14–18, Mi 8.30–13.15, 14–17, Sa 9.30–18, So 15.30–17 Uhr | www.smitf.org)*, James Gibbs' oft kopierter Stilmix (1726), bietet Mi Jazznight, ● kostenlose Lunchtime-Konzerte *(Mo, Di, Fr 13 Uhr)*, Gratis-Ausstellungen zeitgenössischer Kunst in der INSIDER TIPP Galerie in der Kirchenkrypta. *U-Bahn Bakerloo, Northern: Charing Cross*

Beliebter Treffpunkt: Am Piccadilly Circus ist man nur selten allein

CITY/CLERKENWELL/HOLBORN

In der City of London, der „Square Mile“, begann vor 2000 Jahren die Geschichte der Stadt als römischer Außenposten Londinium.

Von den großen Banken in der City werden rund 20 Prozent der weltweiten Bankengeschäfte getätigt. Vor der Finanzkrise war der Anteil noch größer. Die Bankenkrise, der Sparkurs der Regierung und der Skandal um die Manipulation der Referenzzinssätze haben der City Einbußen und einen Imageschaden gebracht. Wochentags spüren Sie auf den Straßen der City den Puls der Businesswelt mit einer Viertelmillion Menschen, die hier arbeiten. Abends und am Wochenende wird die City jedoch zur Geisterstadt. Die Skyline der City verändert sich permanent und zwischen den Bürotürmen ragt manche alte Kirche auf, nicht zu übersehen natürlich: St Paul's Cathedral, das Wahrzeichen der Stadt; auf Fotos aus dem Zweiten Weltkrieg sieht man die weiße Kuppel trotzig aus den Trümmern ragen. Der Architekt von St Paul's, Sir Christopher Wren (1632–1723), hat wie kein anderer der City seinen Stempel aufgedrückt. Nach dem Großen Feuer 1666 entwarf er über 50 Citykirchen, u. a. St Stephen Walbrook und St-Mary-le-Bow; der Wiederaufbau war die Geburtsstunde des modernen London. Der östliche Rand der City wurde zuletzt durch Künstler und Krawattenträger auf der Suche nach billiger Wohn- und Atelierfläche revitalisiert. Ähnlich westlich der City, wo sich im ehemaligen Drucke-

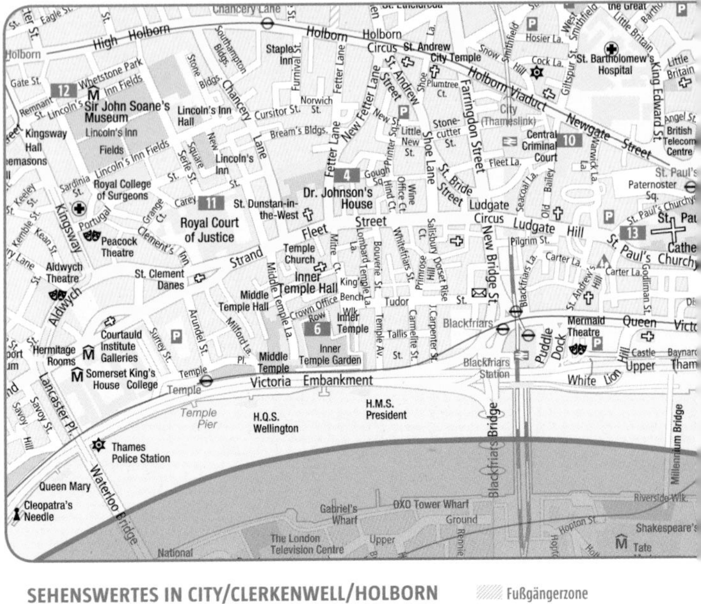

SEHENSWERTES IN CITY/CLERKENWELL/HOLBORN

Fußgängerzone

1 Bank of England Museum
2 Bevis Marks Synagoge
3 Bunhill Fields
4 Dr Johnson's House
5 Guildhall
6 Inns of Court

rei- und Schmuckviertel *Clerkenwell* trendige Clubs und Bars, Designer und Restaurants angesiedelt haben. Südlich der alten Medienmeile Fleet Street, um die Gerichtshöfe von *Holborn*, regiert der britische Justizapparat, geben die verwinkelten Innenhöfe und makellosen Rasenflächen der Temples, enge Gässchen und viktorianische Pubs Einblicke ins London des 18. Jhs.

1 BANK OF ENGLAND MUSEUM

(139 E5) (*M N5*)

Das elegante Museum erzählt die Geschichte der Nationalbank, zeigt alle britischen Geldscheine, die je im Umlauf waren, sowie Fälschungen. Spielen Sie Devisenhändler, untersuchen Sie Banknoten oder heben Sie einen Goldbarren. *Mo–Fr 10–17 Uhr | Eintritt frei | Bartholomew Lane | www.bankofengland.co.uk/museum | U-Bahn Bank*

2 BEVIS MARKS SYNAGOGE

(140 B5) (*M P5*)

Älteste Synagoge des Landes, erbaut 1701 von sephardischen Juden aus Spanien und Portugal, die vor der Inquisition flohen. Königin Viktorias Premierminister Benjamin Disraeli (1804–81) ging hier zur Synagoge, bis er mit 12 Jahren zum Anglikanismus konvertierte. Bei einer Führung erfahren Sie die Geschichte hinter den sieben Kronleuchtern und den Holzbänken aus der Zeit Oliver Cromwells, und warum ein Sitz immer abgesperrt bleibt. In der Nähe das gute koschere Restaurant *Bevis Marks*

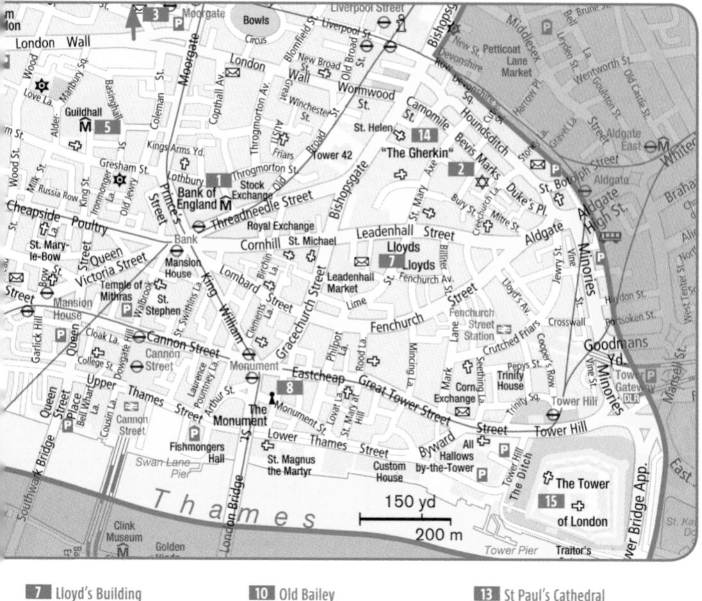

7 Lloyd's Building
8 Monument
9 Museum of London
10 Old Bailey
11 Royal Courts of Justice
12 Sir John Soane's Museum
13 St Paul's Cathedral
14 „The Gherkin"
15 Tower of London

(Fr-Abend und Sa/So geschl. | 3 Middlesex Street | Tel. 020 76 26 12 74 | €€). *Mo, Mi/Do 10.30–14, Di, Fr 10.30–13, So 10.30–12.30 Uhr, an jüdischen Feiertagen geschl. | £ 5 | Führungen: Mi, Fr 11.15, So 10.45 Uhr | Bevis Marks | www.bevismarks.org.uk | U-Bahn Liverpool St*

3 BUNHILL FIELDS
(139 F3) ***(🕮 O3–4)***

Grüne Oase, beliebt für Sandwich-Mittagspausen. Geweiht wurde dieses ehemalige Massengrab für die Opfer der Londoner Pestepidemien *(bone hill* = Knochenhügel) allerdings nie. So fanden bis zur Schließung des Friedhofs Mitte des 19. Jhs. hauptsächlich religiöse Nonkonformisten, Quäker und Methodisten hier die letzte Ruhestätte: z. B. der visionäre Dichter und Maler William Blake (1757–1827) und der Autor des „Robinson Crusoe", Daniel Defoe (1661–1731). *April–Sept. Mo–Fr 7.30–19, Okt.–März bis 16, Sa/So 9.30–16, Sommer bis 19, Führungen April–Okt. Mi 12.30 Uhr | £ 7 | Info: citygardenswalks@hotmail.co.uk | cityoflondon.gov.uk | 38 City Road | U-Bahn Northern: Old Street*

4 DR JOHNSON'S HOUSE
(138 C5) ***(🕮 M5)***

Samuel Johnson (1709–84), der Universalgelehrte des 18. Jhs., verfasste hier das erste systematische Wörterbuch der englischen Sprache. Richtung Fleet Street lockt Dr Johnsons Stammpub, *Ye Olde Cheshire Cheese (Mo–Sa 11–23, So 12–15 Uhr)*, eine atmosphärisch schöne Touristenfalle. *Mo–Sa 11–17.30, Okt.–April nur bis 17 Uhr | £ 4,50 | 17 Gough Square | www.drjohnsonshouse.org | U-Bahn Central: Chancery Lane*

5 GUILDHALL (139 F5) *(🕮 N–O5)*

„Domine dirige nos" (Herr, leite uns), das Motto der City, prangt über dem Hauptportal des Londoner Rathauses, das seit dem 12. Jh. der offizielle Verwaltungsitz der City of London ist. Die schöne, nie überlaufene Kunstgalerie bietet repräsentative Londoner Szenen, und in der mittelalterlichen Krypta sind die faszinierenden, clever illuminierten Reste des römischen Amphitheaters zu sehen. *Mo–Sa 10–17, So 12–16 Uhr | Eintritt frei | Fr 12.15, 13.15, 14.15 und 15.15 Uhr 45-min. Gratistour zu den Highlights | Guildhall Yard | Gresham Street | www.guildhall.cityoflondon.gov.uk | U-Bahn Moorgate*

6 INNS OF COURT
(138 B–C 4–6) *(🕮 L5)*

Um die vier Inns of Court entwickelte sich im Mittelalter das englische *common law*-Recht, und die spitzgiebeligen Halls, die engen Gässchen und gepflegten Rasenflächen zum Picknicken *(z. B. Inner Temple)* dieser Ausbildungsstätte der Eliteanwälte haben eine zeitlose Aura bewahrt. Alle spezialisierten Rechtsanwälte *(barristers*, im Gegensatz zu *solicitors*: Notare*)* gehören einem der Inns an und müssen mindestens zwölf Dinners dort eingenommen haben! *Lincoln's Inns Old Hall* (15. Jh.) hat die Bombardements des Zweiten Weltkriegs unbeschadet überstanden, *Temple Church* (138 C5) *(🕮 L5) (Eintritt £ 4 | www.templechurch.com)* von 1185 ist Londons einzige erhaltene Rundkirche. Mittwochs um 13.15 Uhr häufig INSIDER TIPP Orgelrecitals. Kommen Sie unbedingt wochentags: wegen der Atmosphäre. *U-Bahn Central: Holborn*

7 LLOYD'S BUILDING
(140 A5) *(🕮 P5)*

Für das Hauptquartier der traditionsreichen Versicherungsfirma wandte Architekt Richard Rogers 1986 die futuristischen Stilprinzipien des Centre Pompidou in Paris an und kehrte das Innenleben – Rohre, Abgassystem, Lüftungsschächte, Aufzüge – nach außen. Nachts, blau angestrahlt, wirkt das Gebäude wie vom „Blade-Runner"-Filmset. Gegenüber öffnete Ende 2014 das 225 m hohe *Leadenhall Building* (Spitzname „Käsereibe"). *Ecke Lime/Leadenhall Street | U-Bahn Circle, Metropolitan: Aldgate*

RICHTIG FIT!

Erkunden Sie London bei geführten *Jogging-Touren (Tel. 0845 544 04 33 | www.cityjoggingtours.co.uk)*: am Fluss, durch Parks, in Greenwich oder Hampstead (6–12 km). Lernen Sie Kajak fahren im *Shadwell Basin (Glamis Road | 020 74 81 42 10 | www.shadwell-basin.org.uk | Zug DLR: Shadwell)*, einem ehemaligen Hafenbecken. Auch Kanu- und Kletterkurse werden angeboten.
Zur Fitness geht's zentral zur *Jubilee Hall (30 The Piazza | Covent Garden | Tel. 020 78 36 40 07 | www.jubileehalltrust.org/jubilee-hall | U-Bahn Piccadilly: Covent Garden)*. Neben Spinning und Zirkeltraining werden auch Pilates und Yoga angeboten. In den klimatisierten Studios lässt es sich gut schwitzen.

8 MONUMENT (139 F6) (*06*)
Einen Superblick haben Sie von der größten frei stehenden Steinsäule der Welt, entworfen 1666 von Christopher Wren zum Gedenken an das Great Fire of London. Flachgelegt würde sie 62 m bis zu jener Bäckerei in Pudding Lane reichen, wo das Feuer begann. Am Ausgang bekommen Sie ein Zertifikat, dass Sie die 311 Stufen bewältigt haben. *Tgl. 9.30–17.30, im Sommer bis 18 Uhr | £ 4 | Fish Street | www.themonument.info | U-Bahn District, Circle: Monument*

9 MUSEUM OF LONDON
(139 E4) (*N4–5*)
Hier bekommen Sie einen faszinierender Überblick über die Stadtgeschichte: von der Frühgeschichte mit Befestigungsruinen des römischen Londinium, über Krieg, Pest und Feuer im Mittelalter bis hin zur modernen Weltstadt von heute. Gemälde, Diagramme, Multimedia und Artefakte, wie die vergoldete Kutsche des Londoner Oberbürgermeisters, machen die Geschichte Londons lebendig. Außerhalb gibt es einige Reste der *London Wall,* der Stadtmauer, zu sehen. *Tgl. 10–18 Uhr | Eintritt frei | 150 London Wall | www.museumoflondon.org.uk | U-Bahn Circle, Hammersmith & City, Metropolitan: Barbican*

10 OLD BAILEY (139 D5) (*M5*)
Vor Großbritanniens höchstem Strafgerichtshof *(Central Criminal Court)* wurden und werden die spannendsten Fälle des Landes verhandelt: vom Verleumdungsprozess um den Dichter Oscar Wilde, dem Gattinnenmörder Dr. Crippen und den Zwillingsgangsterbrüdern Kray über den Frauenmassenmörder Sutcliffe („Yorkshire Ripper") bis zu Terrorverdächtigen und aufsehenerregenden Mordfällen der Gegenwart. Das Gebäude datiert von 1907; bis 1902 stand hier das berüchtigte Newgate-Gefängnis. Sie können die britische Strafjustiz live verfolgen, denn die Gerichtsverhandlungen sind öffentlich. Die alten Gerichtssäle I-III haben die meiste Atmosphäre. Kinder unter 14 Jahre, Handys, Kameras, Taschen usw. sind allerdings nicht zugelassen und für letztere gibt es auch keine Aufbewahrungsmöglichkeit! *Mo–Fr (außer Werktag nach Feiertagen, Oster- und Weihnachtsferien) 10–12.30, 14–15.30 Uhr (im Aug. eingeschränkt) | Old Bailey | www.cityoflondon.gov.uk | U-Bahn Central: St Paul's*

Lloyd's Building: stählerner Glanz

11 ROYAL COURTS OF JUSTICE (138 C5) (🕮 L5)

Hinter der breiten neogotischen Türmchenfassade von 1882 verbirgt sich der höchste Zivilgerichtshof des Landes. Die Gerichtssäle darf man besichtigen, natürlich nicht ohne Sicherheitscheck. Infos zu den behandelten Fällen hängen aus. Kinder unter 14 J., Taschen, Kameras etc. sind auch hier nicht zugelassen. Mehr Einblicke erhält man bei einer zweistündigen geführten Tour *(11 oder 14 Uhr | £ 12 | vorbuchen unter Tel. 07789 75 12 48). Mo–Fr 9–16.30 Uhr | Strand | short.travel/lon13 | U-Bahn Circle, District: Temple, Central: Chancery Lane*

12 INSIDER TIPP SIR JOHN SOANE'S MUSEUM ● (138 B5) (🕮 L5)

Ein Wohnhaus mit knarzenden Dielen, bis zur Decke voll mit Skulpturen, Medaillen, Kuriositäten. Diese Schatzkammer ist das Resultat der Sammelleidenschaft von Sir John Soane (1753–1837). Der Maurersohn und Architekt der Bank of England verfügte, dass nach seinem Tod nichts verändert werden durfte. Zu bestaunen sind u. a. ein ägyptischer Sarkophag, der Bilderzyklus „A Rake's Progress" von Hogarth sowie Architekturzeichnungen. *Di–Sa 10–17 Uhr, Führungen Di, Fr 11.30, Mi/Do 14.30, Sa 11 Uhr (£ 10), jeden 1. Di im Monat 18–21 Uhr Kerzenscheinführung (lange Schlangen!) | Eintritt frei | 13 Lincoln's Inn Fields | www.soane.org | U-Bahn Central, Piccadilly: Holborn*

13 ST PAUL'S CATHEDRAL ★ (139 E5) (🕮 N5)

Eine dem hl. Paulus gewidmete Kirche steht hier seit 604, und als der Vorgänger der aktuellen Kirche, die gotische Old St Paul's, 1666 niederbrannte, war die Stunde für Christopher Wrens Meisterwerk gekommen. Der Schlussstein wurde 1711 gesetzt, in der Regierungszeit von Queen Anne, deren Statue vor der mächtigen, von barocken Doppeltürmen flankierten Westfront St Paul's den Rücken zudreht. Im Zweiten Weltkrieg wurde St Paul's bleigedeckte Kuppel im Kreuzfeuer der Luftangriffe zum Symbol für Londons Widerstandsfähigkeit. In der Krypta liegen die britischen Helden General Wellington und Admiral Nelson begraben. Vom südlichen Seitenschiff aus geht es an trompe-l'œil-Fresken vorbei nach oben. Flüstern Sie auf der *Whispering Gallery* in die Wand, und auf der gegenüberliegenden Seite, über 30 m entfernt, kann man Sie verstehen – theoretisch, denn Sie werden nicht die Einzigen sein, die das ausprobieren. Von der obersten *Golden Gallery* haben Sie einen tollen Blick auf die Stadt. Der Besuch des *Choral Evensong (17 Uhr)* ist gratis. *Mo–Sa 8.30–16 Uhr | £ 16,50 (inkl. Multimediaguide und Führungen) | So nur Gottesdienste | Führungen 10, 11, 13 und 14 Uhr | www.stpauls.co.uk | U-Bahn Central: St Paul's*

14 „THE GHERKIN" – SWISS RE BUILDING (140 A5) (🕮 P5)

Norman Fosters 180 m hohe gläserne „Gurke", offiziell Swiss Re Building, wurde 2004 anstelle des von der IRA zerstörten Baltic-Exchange-Gebäudes erbaut und hat Hochhaus-Gesellschaft bekommen: Seit 2011 wird es von dem 230 m hohen *Heron Tower* überragt, drei Jahre später kam das 160 m hohe *20 Fenchurch Street* (Spitzname „Walkie-Talkie") hinzu. Der Bau von *The Pinnacle* (22 Bishopsgate) mit geplanten 288 m hat sich durch Investitionsfragen verzögert. *30 St Mary Axe | U-Bahn Liverpool Street*

15 TOWER OF LONDON ★ (148 B1) (🕮 P6)

Die Keimzelle des alten London ist ein faszinierender Komplex mit 900-jähri-

Der Tower of London gehört zum Pflichtprogramm aller Besuchergruppen

ger Geschichte u. a. als königliche Residenz, Gefängnis, Waffenlager, Münzprägestätte und Aufbewahrungsort für die Kronjuwelen. Herzstück der Unesco-Welterbestätte ist der *White Tower*, begonnen 1076, zur Zeit Williams des Eroberers; hier sehen Sie die Rüstung Heinrichs VIII. und die normannische *Chapel of St John* (1080), den ältesten erhaltenen Sakralbau der Stadt. Illustre Gefangene wie Sir Walter Raleigh und Lady Jane Grey wurden auf der Themseseite durchs *Traitors' Gate*, das „Verrätertor", in den Tower gebracht. Im *Bloody Tower* ließ der berüchtigte Duke of Gloucester, der spätere Richard III., seine beiden Neffen, 10 und 12 Jahre alt, einsperren: „zu ihrer eigenen Sicherheit". Ob er sie auch ermorden ließ, ist ungeklärt. Im *Jewel Tower* trägt Sie ein Förderband zügig an den Kronjuwelen vorbei: u. a. an der Krone der 2002 verstorbenen Queen Mother mit dem Koh-i-Noor-Diamanten (1937) und an der dekorativen *Punch Bowl*-Schale (235 kg).

Kommen Sie früh, bevor sich der Zauber des Towers in der Touristenmenge verflüchtigt, und schließen Sie sich einer *Beefeater*-Führung an (alle 30 Min.). Die „Fleischesser" sind die – traditionell privilegierten – Tower-Wächter; seit 2007 ist auch eine Frau dabei! Die Flügel der Raben sind gestutzt; denn wenn die Raben den Tower verlassen, so die Legende, fällt die Monarchie. Ein Denkmal erinnert an die im Tower Hingerichteten – zuletzt ein deutscher Kriegsgefangener 1941. *März–Okt. Di–Sa 9–17.30, So/Mo ab 10, Nov.–Feb. Di–Sa 9–16.30, So/Mo 10–16.30 Uhr | £ 20 bzw. 22 mit „donation" | Audioguide (auch dt.) £ 4 | www.hrp.org.uk | U-Bahn Circle, District: Tower Hill*

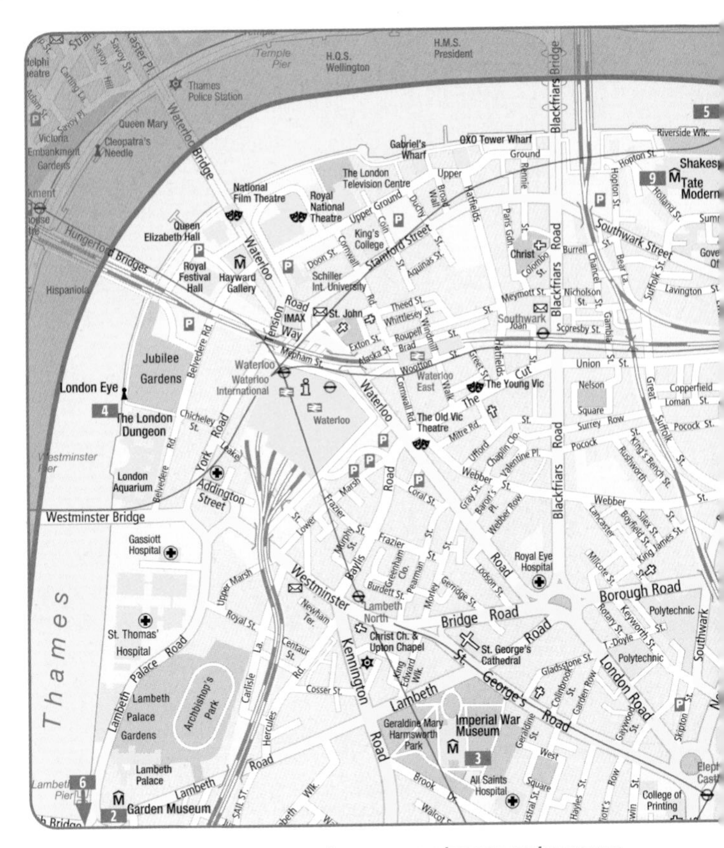

SEHENSWERTES IN SOUTH BANK/SOUTHWARK/BANKSIDE/LAMBETH

1 City Hall/GLA
2 Garden Museum
3 Imperial War Museum
4 London Eye
5 Millennium Bridge
6 MI 6 Building

SOUTHBANK/ SOUTH-WARK/ BANKSIDE/ LAMBETH

Ein Viertel im Wandel, südlich der Themse, die nicht nur Fluss war, sondern auch Grenze: zwischen dem Norden, um den London heranwuchs, und dem Süden.

Die Kontraste zwischen Nord- und Südufer sind augenscheinlich: dort Regierung und Parlament mit imposanten Gebäuden, hier Industriegebäude, die von der Vergangenheit zeugen. Die Umgestaltung der ehemaligen Bank Side Po-

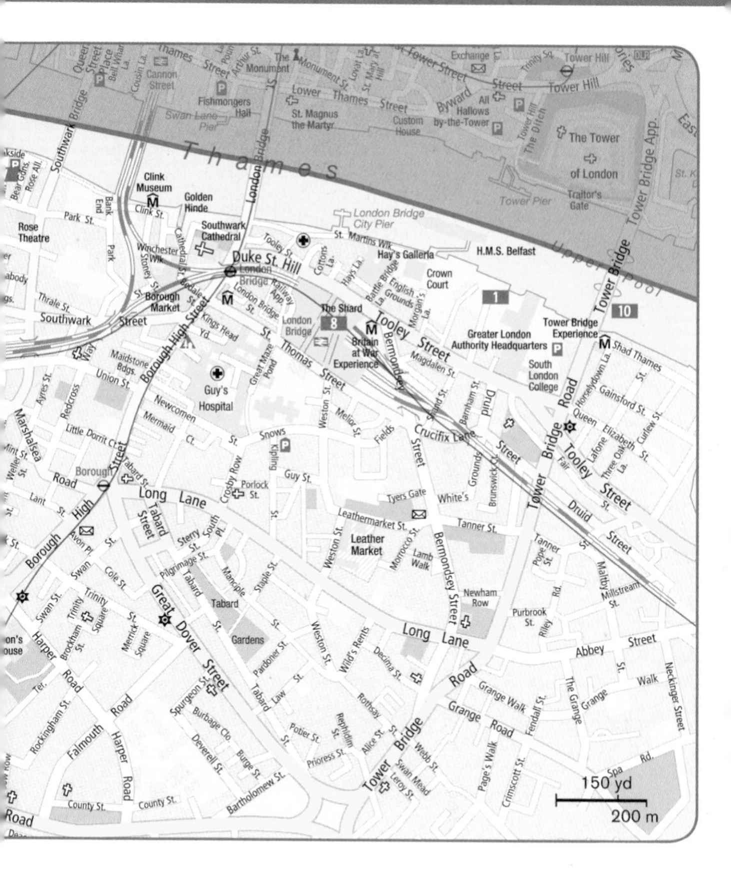

9 Tate Modern
10 Tower Bridge

wer Station zum Tate-Modern-Kunstmuseum setzte einen Akzent des Wandels für das „arme" Themsesüdufer. Wo man zu Shakespeares Zeiten dem Glücksspiel frönte, wo Prostitution erlaubt war, hat sich am Themseufer um die Jahrtausendwende viel getan. Einige touristische Attraktionen sind hier entstanden, wie das London Eye, das London Sea Life Aquarium, die Millennium Bridge oder Shakespeare's Globe Theatre. Dazwischen Designerbüros, Galerien, Cafés, Kneipen und Restaurants. Hier können Sie – im Gegensatz zum Nordufer – vergnüglich und ungestört am Flussufer entlangbummeln, können sich treiben lassen oder viel unternehmen. Jenseits der touristischen Hotspots, südlich des Uferbereichs, wird jedoch augenfällig, dass Umgestaltung und *gentrification* noch nicht weit reichen. Hier kann man ein London sehen, wie es in Ken Loachs sozialkritischen Filmen gezeigt wird, mit anonymen Hochhäusern und sozialem Wohnungsbau.

1 CITY HALL/GLA (148 B1) *(P7)*
Buchstäblich „schräger" Sitz der Greater London Authority (GLA), der Londoner Stadtverwaltung. Norman Fosters gläsernes, eiförmiges Gebäude lehnt sich von der Themse weg und verbraucht dank eines ökologischen Kühlsystems nur ein Viertel der Energie eines normalen Bürohauses dieser Größe. *Mo–Do 8.30–18, Fr bis 17.30 Uhr | The Queen's Walk | www.london.gov.uk | U-Bahn Jubilee, Northern: London Bridge*

2 GARDEN MUSEUM (146 B4) *(K9)*
Das kleine Museum in der hübschen St-Mary-at-Lambeth-Kirche mit Schaugärten drumherum ist der Tradescant-Familie königlicher Gärtner und Pflanzensammler des 16./17. Jhs. gewidmet. Hier finden Sie u. a. prähistorische und historische Landbaugeräte, Schubkarren, Gießkannen etc. und einen Museumsshop. Das Museum beherbergt auch den Sarkophag mit den Überresten Captain Blighs, den die Meuterer auf der „Bounty" 1789 seinem Schicksal überließen. Café. *So–Fr 10.30–17, Sa bis 16 Uhr, 1. Mo im Monat geschl. (außer Bank Holiday) | £ 7,50 | Lambeth Palace Road | www.gardenmuseum.org.uk | U-Bahn Bakerloo: Lambeth North*

3 IMPERIAL WAR MUSEUM (146 C4) *(M8–9)*
Im ehemaligen *Bethlem Royal Hospital* werden militärische Konflikte des 20. Jhs. präsentiert. Neu seit dem Umbau 2014 sind das von Norman Foster gestaltete Atrium sowie die Ausstellungsgalerien

zum Gedenken an den Beginn des Ersten Weltkriegs. Eindrücklich: echte Spitfire-Flugzeuge, T34-Panzer, V2-Rakete. Spektakulär: Special Effects vermitteln das Truppenleben oder den Bombenregen im Zweiten Weltkrieg. Anschaulich: Kriegsstrategien wie die D-Day-Landung der Alliierten. *Tgl. 10–18 Uhr | Eintritt frei | Lambeth Road | www.iwm.org.uk | U-Bahn Bakerloo: Lambeth North*

4 LONDON EYE ★ ● (146 B2) *(K–L7)*
Die Attraktion, es sei denn, man hat Höhenangst! Das derzeit höchste Riesenrad Europas (135 m) steht am Themseufer. Der Blick aus den verglasten Kapseln, die je 25 Passagiere fassen, ist unschlagbar; an klaren Tagen können Sie kilometerweit sehen, abends romantisch über den Lichtern der Stadt schweben. Extra: *4D-Experience*-Vorfilm mit Wind- und Wettereffekten live. Noch stilvoller:

Wer keine Höhenangst hat, genießt den phantastischen Blick vom London Eye

INSIDER TIPP Champagner-Flug *(£ 35);* stoßen Sie mit einem Glas über den Dächern von London an. *Sept.–März tgl. 10–20.30, April–Aug. 10–21, Fr/Sa bis 21.30 Uhr, im Aug. Fr bis 23.30 Uhr, zwei Wochen im Jan. geschl. | £ 20,95 (£ 18,85 online) | Tel. 0871 7813000 (*) | www.londoneye.com | U-Bahn Circle, District: Waterloo, Westminster*

5 MILLENNIUM BRIDGE (139 E6) *(🕮 N6)*

Der erste Brückenneubau über die Themse seit über hundert Jahren verbindet zwei Londoner Wahrzeichen: St Paul's Cathedral und Tate Modern. Design-Vorbild für die 325 m lange filigrane Fußgängerbrücke aus Stahl, entworfen von Norman Foster und Bildhauer Anthony Caro, war ein Lichtstrahl. Kurz nach der Eröffnung 2000 stellte sich heraus, dass die Statik mit dem Besucheransturm nicht fertig wurde: Die Brücke geriet ins Schwanken. £ 5 Mio. kostete das neue Stoßdämpfersystem. *U-Bahn Central: St Pauls's, Circle, District: Blackfriars*

6 MI 6 BUILDING (146 A6) *(🕮 K10)*

Das massive postmoderne Gebäude am Themseufer gegenüber der Tate Britain bekam den Spitznamen „Legoland" und ist das Hauptquartier des britischen Auslandsgeheimdienstes MI 6. Im James-Bond-Film „Die Welt ist nicht genug" (1999) beginnt hier eine Bootsverfolgungsjagd, in „Skyfall" (2012) wird das Gebäude in die Luft gesprengt. *85 Albert Embankment | U-Bahn Victoria: Vauxhall*

7 SHAKESPEARE'S GLOBE THEATRE (147 E1) *(🕮 N6)*

Für das achteckige Openairtheater (erbaut 1599) schrieb William Shakespeare (1564–1616) viele seiner späteren Stücke. 1613, bei der Aufführung seines letzten Stücks, „Henry VIII", fing das Strohdach Feuer; 1644 wurde der Bau im Zuge der puritanischen Antitheaterpolitik abgerissen und Ende der 1990er-Jahre nahe dem Originalstandort wiederaufgebaut. Ausstellung *(tgl. 9–17, im Winter 10–17 Uhr | £ 13,50)*, mit Führung *(alle 15–30 Min.)*; bei Nachmittagsvorstellungen kein Zutritt zum Theater. Erleben Sie Stücke von Shakespeare wie zu seiner Zeit: Essen und Umherlaufen ist erlaubt (Schirme, Fotoapparate nicht); im neuen *Sam Wanamaker Playhouse* beleuchten Kerzen die Aufführungen. *Ende April–Anf. Okt. Mo–Sa 14, 19.30, So 13, 18.30 | £ 10 (Stehkarten) bis £ 60 | 21 New Globe Walk | Tel. 020 74019919 | www.shakespearesglobe.com | U-Bahn Circle, District: Mansion House, Northern, Jubilee, Züge: London Bridge*

The Shard: neues Wahrzeichen Londons auf Schritt und Tritt erkennbar

8 THE SHARD ● (147 F1) *(07)*

Mit 310 m reckt sich die „Scherbe" seit 2012 am Südufer der Themse als neues Wahrzeichen empor. High-Speed-Aufzüge bringen Besucher auf die Aussichtsplattformen mit 360°-Rundumblick. *April–Okt. tgl. 10–22, Nov.–März So–Mi 10–19, Do–Sa 10–22 Uhr; vorbuchen, Taschengröße limitiert! | £ 30 | St Thomas Street | Tel. 0844 4997111 (*) | www.theviewfromtheshard.com | U-Bahn Northern, Jubilee: London Bridge*

9 TATE MODERN ★ (147 E1) *(N6)*

Seit der Eröffnung im Jahr 2000, als die Sammlung der Tate Gallery auf zwei Museen aufgeteilt wurde, ist Tate Modern der Star am Londoner Museenhimmel. Der riesige Backsteinbau an der Themse wurde von den Schweizer Stararchitekten Herzog & de Meuron umgebaut und wird nun von ihnen erweitert. Internationale moderne Kunst, präsentiert auf derzeit über 12 000 m² in einem ehemaligen Kraftwerk. Die Sammlung, in der alle großen Namen des 20. Jhs. (Matisse, Picasso, Pollock, Rothko, Warhol) vertreten sind, ist nach Themen geordnet. Bei der Erweiterung der Tate Modern wurden die neuen südlichen Gebäudeteile mit einer Brücke angebunden. Espressobar auf Ebene 3; Mulitmedia-Guide *(£ 4)* oder Mobile-App. *So–Do 10–18, Fr/Sa 10–22 Uhr | Eintritt frei | Gratisführung zu den Highlights tgl. 11, 12, 14, 15 Uhr | 53 Bankside | www.tate.org.uk | U-Bahn Jubilee: Southwark; Circle, District: Blackfriars; Central: St Paul's*

10 TOWER BRIDGE ★ (148 B1) *(P–Q 6–7)*

Die neogotischen Doppeltürme (1894) sind neben Big Ben das bekannteste Wahrzeichen Londons. Die *Tower Bridge Exhibition* (Zugang vom Nordturm) führt Sie in den viktorianischen Maschinenraum mit den originalen Dampfmotoren; von den verglasten Fußgänger-Walkways haben Sie eine grandiose Aussicht, wenn die Brückenteile aufgeklappt werden. *April–Sept. tgl. 10–17.30, Okt.–März 9.30–17 Uhr | £ 9 | www.towerbridge.org.uk | U-Bahn Circle, District: Tower Hill*

AUSSERDEM SEHENSWERT

BAKER STREET (136 B3) (*F4*)

Eine der berühmtesten Adressen der Literatur, Sherlock Holmes' Haus in 221 B Baker Street, existiert nicht; das *Sherlock Holmes Museum (tgl. 9.30–18 Uhr | £ 10 | www.sherlock-holmes.co.uk)* ist in Nr. 239 untergebracht. Wandern Sie durchs Haus, nehmen am Kamin in seinem Sessel Platz. In Nr. 108 residiert das *Sherlock Holmes Hotel (119 Zi. | Tel. 020 74866161 | www.parkplazasherlockholmes.com | €€€)* mit guter Cocktailbar. Bei *Murder-Mystery*-Abenden *(ab £ 69 inkl. Dinner)* werden Sie zum Detektiv. *U-Bahn Baker Street*

CAMDEN (0) (*G–H1*)

In diesem Viertel im Norden schlägt das alternative Herz der Stadt im Takt von Rock, Psychadelic, Punk, Electro u. a. Entdecken Sie neben Markt, Clubs, Bars, Theater, Tanz und Performance das INSIDER TIPP *Jewish Museum (So–Do 10–17, Fr bis 14 Uhr | £ 7,50 | www.jewishmuseum.org.uk)*, das die Geschichte der britischen jüdischen Gemeinde und der weltweiten Diaspora erzählt und die Rituale erklärt. Café. *www.camdentown.co.uk | U-Bahn Northern: Camden*

GREENWICH ★ (0) (*0*)

Im alten Viertel der britischen Seefahrer im Südosten der Stadt wittert London Meeresluft. Nehmen Sie sich einen Tag Zeit, um das Unesco-Welterbe zu entdecken. Nahe dem letzten Teeklipper *Cutty Sark (www.rmg.co.uk)*, nach einem Feuer jetzt wieder zugänglich, liegt der überkuppelte Eingang zum Fußgängertunnel unter der Themse. Bewundern Sie im *Old Royal Naval College (www.ornc.org)* die barocke Symbolik der Deckengemälde in der *Painted Hall* und die reich verzierte Kapelle gegenüber, und spazieren Sie zwischen den uralten Bäumen des schönsten Londoner Parks bergauf, vorbei am *National Maritime Museum (www.rmg.co.uk)* mit Captain Cooks Sextanten, „Titanic"-Memorabilia und der weltgrößten Sammlung maritimer Kunst. Der 2012 eröffnete Flügel zeigt u. a. die Ausstellung „Großbritannien und das Meer". Bis heute richtet sich die Seefahrt nach der Uhr von Greenwich und dem Nullmeridian vor dem *Royal Observatory (tgl. 10–17 Uhr | £ 7,70)*, auf dem Sie gleichzeitig – mit je einem Bein – in der östlichen und in der westlichen Hemisphäre stehen können. Der bronzene Kegel des ● *Planetariums (Himmelsshows mit wechselnden Zeiten | £ 6,50)* neigt sich im Winkel Richtung Polarstern. Vom Hügel haben Sie einen phantastischen Blick auf die Docklands mit *Canary Wharf*. Der gewaltige Bürokomplex mit den drei hohen Gebäuden ist Londons Antwort auf Manhattan. *U-Bahn Greenwich, DLR: Cutty Sark; Sightseeing-Boot von Westminster Pier: £ 15,50*

HAMPSTEAD (0) (*0*)

Dieses letzte Überbleibsel des dörflichen London mit einer künstlerischen, exklusiven Atmosphäre bietet eine hübsche High Street und mit dem weitläufigen Landschaftspark ● *Hampstead Heath* die grüne Lunge Nord-Londons, Revier für Spaziergänger, Hundebesitzer und Drachenflieger. Genießen Sie vom

Parliament Hill den weiten Blick über die Stadt. *U-Bahn Northern: Hampstead*

HAMPTON COURT PALACE (O) *(O)*

Der spektakuläre Backstein-Tudorpalast mit seinen Türmchen und Zierschornsteinen wurde erbaut für Kardinal Wolsey (1474–1530), der rechten Hand Henrys VIII. bis zu seiner fehlgeschlagenen Mission, den Papst dazu zu bewegen, Heinrichs Ehe mit Katharina von Aragon zu annullieren. Seitdem war Hampton Court immer wieder Schauplatz der Geschichte: königliche Geburten, Todesfälle, Gefangennahmen. Der General der kurzlebigen englischen Republik, Oliver Cromwell, lebte hier bis zu seinem Tod 1658, Charles II. ließ die Gärten anlegen. Die in der Regierungszeit Williams und Marys Ende des 17. Jhs. vorgenommenen Änderungen sind ein Musterbeispiel des englischen Barock. Eine erste Orientierung geben Ihnen die drei Innenhöfe, *Base, Clock* und *Fountain Court*; sechs thematische Trails führen durch die Gemächer Henrys VIII. *(State Apartments)* mit Great Hall, die Renaissance-Bildergalerie mit Werken von Tintoretto, Cranach, Brueghel, und das Tudor-Küchenquartier. Der berühmte Irrgarten ist über 300 Jahre alt. Ständige Ausstellung zur Jugend Heinrichs VIII. *April–Okt. tgl. 10–18, Nov.–März bis 16.30 Uhr | £ 18,20 (inkl. Audioguide), online £ 17,05 | East Molesey | Surrey | www.hrp.org.uk | Züge: Hampton Court (ab Waterloo)*

HIGHGATE CEMETERY (O) *(O)*

Londons berühmtester Friedhof, verewigt in Audrey Niffeneggers Roman „Die Zwillinge von Highgate" (2009): Verschlungene Pfade führen vorbei an überwucherten Gräbern mit dramatischen Grabfiguren. Karl Marx (1818–83) verbrachte die Hälfte seines Lebens in London, wünschte sich ein simples Grab, doch die bärtige Bronzebüste auf einem Granitblock zeigt ihn mit der Inschrift „Workers of all Lands unite". Auch der 2010 verstorbene Punkdesigner Malcolm McLaren liegt hier begraben *(April–Okt. Mo–Fr 10–17, Sa/So 11–17, Nov.–März bis 16 Uhr | £ 4)*. Der INSIDER TIPP westliche, verwunschenere Teil des Friedhofs mit gotischen Grabskulpturen und Mausoleen ist nur mit Führung zu besichtigen. Highlight: die *Egyptian Avenue* und die *Circle of Lebanon Vaults*: Katakombengräber, beschattet von einer mächtigen libanesischen Zeder – dieser Teil inspirierte Bram Stokers „Dracula"-Roman. *Führungen (1 Std.) März–Nov. Mo–Fr 14.45 Uhr (Anmeldung empfohlen), ganzjährig Sa/So stdl. 11–16 (Nov.–März bis 15) Uhr | £ 12 | Swains Lane | Tel. 020 83 40 18 34 | www.highgate-cemetery.org | U-Bahn Northern: Archway*

KEW GARDENS ★ (O) *(O)*

In den königlichen botanischen Gärten (Unesco-Welterbe) haben die Gärtner auf über 120 ha klimatische Bedingungen geschaffen, in denen fast jede Pflanze der Welt wachsen kann. In den viktorianischen Gewächshäusern streben exotische Farne und Palmen in die Höhe. Das *Kew Explorer*-Bähnchen *(£ 4,50)* fährt sieben Haltestellen an. *Tgl. Führungen (1 Std.) 11, 12, 13.30 Uhr (15 Min. vorher anmelden).* Im *Kew Palace (März–Sept. tgl. 9.30–17.30 Uhr)* von 1631 wohnte der „verrückte" George III., die Queen feierte hier ihren 80. Nicht verpassen: Auf dem *Treetop Walkway* wandeln Sie zwischen Baumwipfeln! Nehmen Sie im Sommer das Boot zwischen Kew und Westminster *(April–Okt. | £ 12 | 90 Min.)*. Vom Ausgang Victoria Gate führt ein kurzer Fußweg zu den Newens *Tea Rooms (tgl. 8.30–18 Uhr | 288 Kew Road | Tel. 020 89 40 27 52 | www.theoriginalmaidsofhonour.co.uk):*

altmodische Porzellantassen, Schokoladenéclairs und die INSIDER TIPP Maids-of-Honour-Käseküchlein nach altem Geheimrezept: unwiderstehlich! *Kew Road | tgl. ab 9.30, variable Schließzeiten zwischen 16.15 und 19.30 Uhr | £ 16 | Tel. 020 83 32 56 55 | www.kew.org | U-Bahn District: Kew Gardens*

MADAME TUSSAUD'S (136 C3) (*🕮 F4*)
Trotz gesalzener Preise zeugen lange Schlangen von der anhaltenden Beliebtheit des berühmtesten Wachsfigurenkabinetts der Welt, mit mehr oder weniger lebensechten Nachbildungen von Amy Winehouse, Prince William oder Robert Pattinson („Twilight"). „Spirit of London" ist eine Zeitreise durch 400 Jahre Stadtgeschichte. *Tgl. 9.30–17.30 Uhr (im Sommer länger) | £ 30 mit Anstehen, bzw. £ 22,50 bei Online-Vorbuchung, Familienticket ab £ 84 | Marylebone Road | www.madametussauds.com/london | U-Bahn Baker Street*

MUSEUM OF LONDON DOCKLANDS
(0) (*🕮 0*)
In einer ehemaligen Lagerhalle für Zucker, Kaffee und Rum im Schatten der Wolkenkratzer von Canary Wharf erzählt das Hafenmuseum die 2000-jährige Geschichte der Themseschifffahrt und widmet eine Galerie auch der wenig rühmlichen Geschichte Großbritanniens im transatlantischen Sklavenhandel. *Tgl. 10–18 Uhr | Eintritt frei | West India Quay | www.museumoflondon.org.uk/Docklands | U-Bahn Jubilee: Canary Wharf, DLR: West India Quay*

NOTTING HILL
(134 A–C 4–6) (*🕮 A–B 5–6*)
Julia Roberts und Hugh Grant sind Schuld: Ursprünglich ein Viertel mit vielen karibischen Einwanderern, ist Notting Hill inzwischen ein Stadtteil, dessen hübsche bunten Häuser – kleine Läden, Cafés und Gastro-Pubs – heute Millionen wert sind. Die Gegend droht schon fast wieder Opfer des eigenen, trendigen Images zu werden. *U-Bahn Central: Notting Hill Gate*

Wie von der Leinwand gehüpft: Die Monroe bei Madame Tussaud's

ORBIT (0) (*🕮 0*)
Die 115 m hohe, verschlungene Stahlskulptur von Anish Kapoor und Cecil Balmond heißt offiziell *Arcelor Mittal Orbit* (nach dem Hauptsponsor) und soll im Olympia Park an die Olympischen Spiele von 2012 erinnern. Besucher können von zwei Plattformen aus London überblicken. *April–Sept. tgl. 10–18, Okt.–März*

10–16 Uhr | £ 15, Tickets nur online | Stratford Walk | arcelormittalorbit.com | U-Bahn Central, Jubilee, DLR: Stratford

SHRI SWAMINARAYAN MANDIR (NEASDEN TEMPLE) (0) (*🗺 0*)

Dieser größte Mandir-Tempel außerhalb Indiens wurde Anfang der 1990er-Jahre von einer hinduistischen Sekte erbaut. 2000 t Carrara-Marmor und 2800 t bulgarischer Kalkstein zwirbeln sich zu filigranen Kuppeln und Türmchen; innen zelebrieren blumengeschmückte Altäre hinduistische Gottheiten (Murtis). *Hinduismusmuseum (£ 2)*, gute vegetarisch-vegetarische Küche im angeschlossenen INSIDER TIPP *Shayona Restaurant (tgl. | Tel. 020 89 65 33 65 | www.shayonarestaurants.com | €). Tgl. 9–18 Uhr | 105–119 Brentfield Road | www.mandir.org | U-Bahn: Harlesden (Bakerloo), dann Bus 224*

SPITALFIELDS (140 B/C4) (*🗺 P/Q4*)

Seit der Gemüsemarkt Anfang der 1990er-Jahre umzog, konnte sich um die Hallen von *Spitalfields Market* (s. S. 79) die Kreativszene etablieren mit Vintage-Klamotten, Kunst und Handwerk. Junge Designer siedelten auf der Suche nach günstigen Ateliers hier an. Dieser Trend setzt sich nach Norden in Shoreditch fort. *www.spitalfields.co.uk | U-Bahn Liverpool Street*

THAMES FLOOD BARRIER (0) (*🗺 0*)

Die riesigen, edelstahlgepanzerten Maschinenhäuser der Hightech-Flutschranke (1982) im Haifisch-Look können im Notfall vom Flussboden hochfahren und London abriegeln; mit Informationszentrum. Den besten Blick auf die Anlage haben Sie vom Thames Barrier Park aus. *Do–So 10.30–17 Uhr | £ 3,75 | 1 Unity Way | U-Bahn North Greenwich (dann Bus 472)*

WIMBLEDON LAWN TENNIS MUSEUM (0) (*🗺 0*)

Das Museum rund um das traditionsreiche Tennisturnier präsentiert die Geschichte des Tennissports, Originaltrophäen wie den Dress der Williams-Schwestern, Videos der großen Matches und nun auch Memorabilien der Olympischen Spiele von 2012. *Tgl. (außer zur Turnierzeit) 10–17 Uhr | £ 12, mit 1,5-std. Führung rund um den Centre Court £ 22 | Church Road | Wimbledon | Führungen: Tel. 020 89 46 61 31 | www.wimbledon.com | U-Bahn District: Southfields, dann Bus 39*

AUSFLUG

WINDSOR CASTLE & ETON COLLEGE ★ (150 B4) (*🗺 0*)

Windsor Castle, auf einem Kalkfelsen westlich von London, ist seit 900 Jah-

ren königlicher Wohnsitz und eine offizielle Residenz Queen Elizabeths II. Ein Direktzug ab Waterloo bringt Sie in einer Stunde, ab Paddington in 30 Min., zum Bahnhof Windsor & Eton Riverside *(alle 30, So alle 60 Min.)*. Vom Bahnhof aus wenden Sie sich nach links Richtung Schloss. Sie betreten *Windsor Castle (März–Okt. meist tgl. 9.45–17.15, Nov.–Feb. bis 16.15 Uhr | £ 18,50 inkl. Audioguide | www.royal.gov.uk)* durch ein mächtiges Eingangstor aus der Zeit Henry VIII. In der *St Georges Chapel (So geschl.)* rechter Hand mit ihrem Fächergewölbe im spätgotischen Perpendicular-Stil liegen zehn Monarchen begraben. In den prunkvollen Staatsgemächern sehen Sie Wandteppiche, Mobiliar und Alte Meister. Opulenter noch sind die *State Apartments (Okt.–März)*.

Auch am Windsor Castle, das im Laufe seiner Geschichte nie eingenommen wurde, gibt es eine Wachablösung: *April–Juli Mo–Sa 11 Uhr, sonst monatlich wechselnd an geraden bzw. ungeraden Tagen | www.royalcollection.org.uk*. Schlagen Sie einen Bogen über *Windsor Great Park* an der Südseite des Schlosses, am *Long Walk* entlang. Die Park Street führt in die belebte High Street, ein Mix von altmodischen und modernen Läden; stärken Sie sich im windschiefen Sandwich-Café *Crooked House Tea Room*, umrunden Sie die Schlossmauern und überqueren Sie die Themse auf der Fußgängerbrücke zur Linken. Die wohl exklusivste Schule der Welt, *Eton College (www.etoncollege.com)*, 1440 von Heinrich VI. für arme, begabte Chorschüler gegründet, hat 18 Premierminister und den aktuellen Londoner Bürgermeister hervorgebracht. *Bei Redaktionsschluss für Besucher geschl. Möglichkeiten für Führungen erfragen.* Infos unter *www.etoncollege.com/giftshop.aspx*

St George's Chapel im Inneren der Schlossanlage von Windsor Castle

ESSEN & TRINKEN

Die Lachnummer der Gourmetwelt ist britisches Essen nicht mehr. London hat heute über 50 mit Michelinsternen ausgezeichnete Restaurants und erfüllt alle kulinarischen Wünsche: von äthiopisch bis zypriotisch, über koscher-chinesisch, Knoblauchküche und glutenfreie Kost bis zur Erlebnisgastronomie. Und auch das Sushi- und Tapas-Fieber hält an.

Im Zeichen von Modern British, Modern European oder Asian Fusion kommen spannende, manchmal auch etwas überkandidelte Zusammenstellungen auf die Teller. Derweil sind die Briten eine Nation von Hobbyköchen geworden, inspiriert von Fernsehköchen wie der soliden Delia Smith, dem lockeren Jamie Oliver oder der sinnenfrohen Nigella Lawson. Londoner machen sich nur am Wochenende die Mühe, ein klassisch britisches Frühstück mit Eiern und Bacon zuzubereiten, und gönnen sich zunehmend einen herzhaften Restaurantbrunch. Wochentags gibt es in funktional eingerichteten *caffs* superbillig einen Becher Tee, *baked beans* (Bohnen in Tomatensauce) auf Toast, Spiegeleier und *sausages* (Würstchen). Die *caffs* sind Teil britischer Arbeiterkultur und werden wegen ihres hohen Anteils an Fettgebratenem auch *greasy spoons* („fettige Löffel") genannt. Immer mehr im Trend: biologische *(organic)* und fair gehandelte *(fair trade)* Produkte sowie Porridge. Außer Haus ist die Tasse Tee, oder *cuppa*, inzwischen vom Milchkaffee *(latte/flat white)* abgelöst worden. Einen Starbucks finden Sie in London an jeder Ecke.

 Bild: Afternoon Tea – stilvoll im The Ritz

Kulinarische Entdeckungsreise durch alle Kontinente und Ansprüche: von *greasy spoons* zu Gourmettempeln

An Arbeitstagen machen die Briten nur kurze Mittagspausen; oft muss ein Sandwich am Schreibtisch genügen. Das Abendessen hat viele Namen: vom *tea* zwischen halb sechs und sieben über *supper* für ein leichtes Abendessen bis zum formelleren *dinner*. In Restaurants heißen Vorspeisen *starters*, Hauptgerichte *main courses* und Nachspeisen *desserts*, im normalen Sprachgebrauch *puddings*. Beilagen sind *side dishes*. Auf den meisten Restaurant-Websites finden Sie die Speisekarte.

Das britische Äquivalent zum „Italiener" bei uns sind indische Restaurants. In Chinatown gibt es *All-you-can-eat*-Büfetts zum Sattessen unter £ 10. Empfehlenswerte Restaurantketten: *Pizza Express (www.pizzaexpress.com)* und *Wagamama* (japanisch, jung, *www.wagamama.com)*. Tischreservierung ist oft vor allem am Wochenende nötig. Die Gourmettempel sind mitunter Wochen im Voraus ausgebucht. Über die Website *www.toptable.co.uk* sind Tischreservierungen – häufig zu Spezialpreisen – möglich.

Mit Patisserien erobert das Maison Bertaux die Herzen der Londoner

Öffnungszeiten: meist 12–15 und 18–23 Uhr (sonntags früher). Theater- oder Kinogängern bieten viele Restaurants von 17.30 bis 19 Uhr ein *pre-theatre meal*.

AFTERNOON TEA

Einen traditionellen *Afternoon Tea* in einem schicken Hotel sollten Sie sich einmal gönnen: Mini-Sandwiches mit Gurken, Lachs oder Ei, *scones* mit Sahne und Marmelade und feines Gebäck. Immer beliebter: das Glas Champagner dazu.

INSIDER TIPP BB BAKERY BUS (146 A1) (*K7*)

Genießen Sie Ihren Afternoon Tea mit Scones und Sandwiches bei einer 90-minütigen Rundfahrt im Routemaster-Bus vorbei an Big Ben, Buckingham Palace, Hyde Park *(£ 45)*. Auch glutenfreie, vegetarische Angebote. Vorbuchen! *Tgl. 12.30, 15, Sa/So auch 17.30 Uhr | Abfahrt ab Northumberland Av. | Tel. 020 72 37 33 92 | short.travel/lon12 | U-Bahn Bakerloo, Northern: Charing Cross*

GALLERY MESS (144 B5) (*F10*)

Lassen Sie die Kunst der *Saatchi Gallery* nachwirken bei einem traditionellen *cream tea:* (Tee mit Scones £ 9,50) oder *Afternoon Tea (£ 15,50). Tgl. 14.30–18 Uhr | Duke of York Headquarters King's Road | Tel. 020 77 30 81 35 | www.saatchigallery.com/gallerymess | U-Bahn Circle, District: Sloane Square*

PALM COURT (137 D4) (*H5*)

Das Restaurant im *Langham Hotel* wurde schon mit dem Tea-Council-Preis für den besten Afternoon Tea Londons ausgezeichnet. Zum Tee werden Fingersandwiches und Scones, originelle Süßigkeiten und exquisite Miniküchlein gereicht. *Afternoon Tea (ab £ 47) tgl. 12, 13.30, 14.30, 16 und 17.30 Uhr | 1 C Portland Place, Regent Street | Tel. 020 79 65 01 95 | www.palm-court.co.uk | U-Bahn Oxford Circus*

POSTCARD TEAS ● (137 D5) (*G5*)

Huldigen Sie im japanisch angehauchten Teeladen des Tee-Importeurs und Ex-Kunsthändlers Timothy d'Offay dem englischen Nationalgetränk. Verschicken Sie Ihren Lieblingstee in die Heimat – Briefkasten im Laden. Auch Teekurse. *Mo–Sa 10.30–18.30 Uhr | 9 Dering Street | New Bond Street | Tel. 020 76 29 36 54 | www.postcardteas.com | U-Bahn Oxford Circus*

THE RITZ ★ (145 E1) (*🕮 H7*)

● Tea im *Palm Court* des vornehmen *The Ritz* unter Kronleuchtern ist ein High-Society-Ritual. Für £ 50 gibt's feinsten Tee, Sandwiches, Scones, Patisserien. Jackett- und Krawattenpflicht, keine Jeans und Turnschuhe! Reservieren. *Tgl. 11.30, 13.30, 15.30, 17.30, 19.30 Uhr | 150 Piccadilly | Tel. 020 73 00 23 45 | www.theritzlondon.com | U-Bahn Green Park*

CAFÉS

DRINK, SHOP & DO (138 B1) (*🕮 K2*)

Origineller Vintage-Café-Laden mit Handarbeits-Workshops. Was Sie sehen, können Sie kaufen: Geschirr, Küchenhandtücher, Süßwaren. Fr/Sa ab 19 Uhr Dancefloor (bis 23 Uhr freier Eintritt). INSIDER TIPP Monatlicher Swing-Tanzkurs (Di ab 19 Uhr). *Mo–Do 10.30–24, Fr/Sa bis 2, So bis 20 Uhr | 9 Caledonian Road | Tel. 020 72 78 43 35 | www.drinkshopdo.com | U-Bahn King's Cross*

MAISON BERTAUX (137 F5) (*🕮 J5*)

Legendäre Croissants und leckeres Gebäck gibt es in dieser zeitlosen Soho-Institution (bereits seit 1871!). *Tgl. | 28 Greek Street | www.maisonbertaux.com | U-Bahn Northern, Piccadilly: Leicester Square, Central, Northern: Tottenham Court Road*

MÔ (137 E6) (*🕮 H6*)

Gemütliche nordafrikanische Caféoase mit Terrasse für die Sisha-Wasserpfeife. Probieren Sie Minztee mit Rosenblüten, Pinienkerne, maghrebinische Snacks, scharfe Sandwiches und süße *baklavas*. Afternoon Tea. *Tgl. | 25 Heddon Street | www.momoresto.com | U-Bahn Bakerloo, Piccadilly: Piccadilly Circus*

NOTES (138 A6) (*🕮 K6*)

Feinste Bohnen aus der eigenen Rösterei in der edlen Espressomaschine oder retro-like mit Porzellanfilter aufgebrüht: Hier können Sie zivilisiert Kaffee trinken. Dazu gibt's Kuchen, Sandwiches, Suppen, Salate, Wein. *Mo–Fr 7.30–21, Sa 9–22, So 10–18 Uhr | 31 St Martin's Lane | Tel. 020 72 40 04 24 | www.notes-uk.co.uk | U-Bahn Bakerloo, Northern: Charing Cross, Northern, Piccadilly: Leicester Square*

PATISSERIE VALERIE (136 C4) (*🕮 G5*)

Die belgische Gründerin Valerie startete 1926 in Soho mit dem ersten Café.

MARCO POLO HIGHLIGHTS

★ The Ritz
Teatime in einem der feinsten Häuser Londons → S. 65

★ Brasserie Zédel
Französische Küche, erschwinglich → S. 68

★ Inn the Park
Frühstück und mehr im Grünen – mit Seeblick → S. 66

★ Petrus
VIPs dürfen bei Gordon Ramsay in der Küche essen → S. 66

★ Sardo
Authentisch-sardische Küche in Bloomsbury → S. 69

★ The Palomar
Israelische Küche neu interpretiert → S. 71

Absolut verführerisch: phantasievolle Torten. *Tgl. 8–20 Uhr | 105 Marylebone High Street | Tel. 020 79 35 62 40 | www.patisserie-valerie.co.uk | U-Bahn Bakerloo, Jubilee, Metropolitan, Circle, Hammersmith, City: Baker Street*

ENGLISCH

HAWKSMOOR GUILDHALL (139 F5) *(N–O5)*

Freunde großer Fleischportionen sind in diesem Steakhaus richtig. Hier wird auch üppiges Frühstück unter Art-déco-Leuchten serviert. *Sa/So geschl. | 10 Basinghall Street | Tel. 020 73 97 81 20 | www.thehawksmoor.com | U-Bahn Bank, St Paul's, Moorgate* | €€€

INN THE PARK ★ (145 F2) *(J7)*

In dieser luftigen Location am Teich in St James's Park schmeckt's vom Frühstück bis zum Afternoon Tea (vorbuchen). Wie wär's mittags mit einem Linsen-Cashew-Burger? *Tgl. 8–11, 12–17 Uhr | Tel. 020 74 51 99 99 | www.peytonandbyrne.co.uk/inn-the-park | U-Bahn Bakerloo, Northern: Charing Cross* | €€

GOURMETTEMPEL

Hakkasan (137 F5) *(J5)*
Das erste chinesische Restaurant Großbritanniens mit Michelin-Stern versteckt sich in einer Seitenstraße. Probieren Sie Kabeljau mit Champagner und Honig. Dim-Sum-Sonntag ab 12 Uhr: saisonal inspiriertes 6-Gänge-Mittagsmenü in der *Ling Ling-Lounge*, ab £ 48 inkl. Cocktails (mind. 2 Pers.). *Tgl. | 8 Hanway Place | Tel. 020 79 27 70 00 | www.hakkasan.com | U-Bahn Central, Northern: Tottenham Court Road*

Petrus ★ (144 C3) *(F8)*
Das michelinsterngekrönte Restaurant unter der Leitung von Gordon Ramsay ist der Versuch, der Kritik zu begegnen, der Koch rühre in zu vielen Restauranttöpfen gleichzeitig. Moderne französische Küche in Art-déco-Ambiente. Gut Betuchte reservieren einen Platz am Chef's Table – in der Küche! Menü £ 37,50–75. *Mo–Fr Lunch und Dinner | 1 Kinnerton Street | Tel. 020 75 92 16 09 | www.gordonramsay.com | U-Bahn Piccadilly: Knightsbridge*

Seven Park Place (145 E1) *(H7)*
Die Leidenschaft fürs Kochen wurde Sternekoch William Drabble von seiner Großmutter in die Wiege gelegt. Nach Stationen in renommierten Häusern Englands kocht er seit 2009 im St James's Hotel michelinsterngekrönte französische Küche mit besten britischen Zutaten. 2-Gänge-Menü mittags £ 25,50; abends £ 55. *So/Mo geschl. | 7–8 Park Place | Tel. 020 73 16 16 15 | www.stjameshotelandclub.com | U-Bahn Victoria, Piccadilly, Jubilee: Green Park*

The Lecture Room at Sketch (137 E6) *(H6)*
Trotz zweier Michelin-Sterne (seit 2013) sind die Preise gleich geblieben: „Gourmet Rapide Lunch" (Di–Sa) 2 bzw. 3 Gänge mit Kaffee und Petits Fours £ 35/40. Reservieren! Im Patisseriesalon *(parlour)* sitzt man kuschelig in Louis-XV-Sesseln. *So/Mo geschl. | 9 Conduit Street | Tel. 020 76 59 45 00 | www.sketch.uk.com | U-Bahn Bakerloo, Central, Victoria: Oxford Circus*

PETERSHAM NURSERIES (0) (*0*)
Es gibt kaum einen englischeren Lunch: im Gartenzentrum, mit saisonaler Slowfood-Speisekarte; Zutaten direkt aus dem Garten! *Di–So | Church Lane (Petersham Road) | Richmond | Surrey | Tel. 020 89 40 52 30 | www.petershamnurseries.com | Zug ab Waterloo bis Richmond oder U-Bahn District (Richmond), dann 30 Min. Fußweg an Themse od. Bus Nr. 68 | €€€ | Teahouse €€*

POPPIES (140 B–C4) (*Q4*)
Lange bevor dieses Viertel trendy wurde, versorgte Pop Newland das East End mit ehrlichen ● Fish & Chips. Der Fisch kommt frisch vom Billingsgate Market. *Tgl. ab 11 Uhr | 6–8 Hanbury Street | Tel. 020 72 47 08 92 | www.poppiesfishandchips.co.uk | U-Bahn Northern: Liverpool Street, Old Street | €*

ROAST (147 F1) (*O6*)
Best of British in der Floral Hall, mit Blick auf St Paul's und Borough Market. Leicht überteuert, aber wo kriegt man schon englischen Pinot Noir? Tolles Frühstück, früh geöffnet für die Marktleute. *So abends geschl. | Stoney Street | Tel. 0845 0 34 73 00 | www.roast-restaurant.com | U-Bahn London Bridge | €€*

ROCK & SOLE PLAICE (138 A5) (*K5*)
Probieren Sie Fish & Chips in Londons ältestem *Chippie* (Frittenrestaurant). Gebraten wird hier seit 1871. £ 15–18, Takeaway günstiger. *Tgl. | 47 Endell Street | U-Bahn Piccadilly: Covent Garden | €€*

RULES (138 A6) (*K6*)
Holztäfelungen, schwere Vorhänge, Samtbezüge, an den Wänden Gemälde und Jagdtrophäen – wie ein altes englisches Landhaus serviert das Rules seit 1798 sorgfältige britische Kochkunst. Schwerpunkt auf Wild und Lachs. Reservierung für max. 6 Pers. *Mo–Sa 12–23.45, So bis 22.45 Uhr | 35 Maiden Lane | Tel. 020 78 36 53 14 | www.rules.co.uk | U-Bahn Piccadilly: Covent Garden | €€*

Rules: das älteste Restaurant Londons

INSIDER TIPP **THE SHED**
(142 C1–2) (*B7*)
Im ländlich-rustikalen Ambiente des *Shed* (Schuppen) gelingt es einem Brüderduo mit Zutaten von der Familienfarm in West-Sussex authentische Küche auf den Teller zu zaubern. *Di–Sa 12–15, 18–23 Uhr | 122 Palace Gardens Terrace | Tel. 020 72 29 40 24 | www.theshed-restaurant.com | U-Bahn Central: Notting Hill Gate | €*

SIMPSON'S-IN-THE-STRAND
(138 B6) (*K6*)
Seit über 170 Jahren serviert das Traditionshaus Gerichte mit regionalen Zuta-

ten. Gäste wie Charles Dickens tafelten einst hier. In englischer Clubatmosphäre starten Sie mit einem britischen Frühstück in den Tag: Cumberland Würstchen, Bacon, Eier, Tomaten. *Mo–Fr ab 7.15 Uhr | 100 Strand | Tel. 020 78 36 91 12 | U-Bahn Bakerloo, Northern: Charing Cross* | €€

ST JOHN (139 D4) (M4)
Mekka für Fleischfreunde und Teil der blühenden Gastroszene am Smithfield-Fleischmarkt im trendigen Clerkenwell.

Sardinien goes London: Sardo

Spezialität sind Innereien: Entenherzen, Lammzunge, Nierchen. *Sa-Mittag und So-Abend geschl. | 26 St John Street | Tel. 020 72 51 08 48 | www.stjohnrestaurant.com | U-Bahn Circle, Hammersmith & City, Metropolitan: Farringdon* | €€

EUROPÄISCH

ARBUTUS (137 F5) (J5)
Seine modernen Interpretationen französischer und britischer Klassiker brachtem dem Arbutus einen Michelin-Stern ein. *Pre-Theatre-Menu. Tgl. | 63–64 Frith Street | Tel. 020 77 34 45 45 | www.arbutusrestaurant.co.uk | U-Bahn Central, Northern: Tottenham Court Road* | €€

INSIDER TIPP L'AUTRE PIED (136 C4) (G5)
Der irische Koch Andy McFadden zaubert in sachlich-schlichtem Ambiente ungewöhnliche Geschmackskombinationen auf die Teller. Die Sterneküche kann man sich mittags oder als *Pre-Theatre-Menu* durchaus leisten: zwei oder drei Gänge £ 22,50 bzw. £ 27,50. Vegetarier werden à la carte fündig. *So-Abend geschl. | 5–7 Blandford Street | Tel. 020 74 86 96 96 | www.lautrepied.co.uk | U-Bahn Bakerloo: Baker Street* | €€–€€€

THE BELVEDERE (142 B3) (A8)
Buchen Sie einen Tisch auf dem Terrassenbalkon und genießen Sie zu französischer Küche den Blick auf Holland Park. Reservieren! 2- oder 3-Gänge-Menüs £ 18 bzw. £ 22. *So nur Lunch | Holland Park | Eingang Abbotsbury Road | Tel. 020 76 02 12 38 | www.belvedererestaurant.co.uk | U-Bahn Central: Holland Park* | €€

BRASSERIE ZÉDEL ★ (137 E–F6) (J6)
Tauchen Sie ab in die Kellergewölbe: ein Ambiente wie in Paris. Französische Kochkunst zu Schnäppchenpreisen. 2-Gänge-Menü unter £ 10. Tgl. ab 22.30 Uhr Livemusik. *Mo–Sa 11.30–24, So bis 23 Uhr | 20 Sherwood Street | Tel. 020 77 34 48 88 | www.brasseriezedel.com | U-Bahn Northern, Bakerloo: Piccadilly Circus* | €–€€

CARLUCCIO'S (139 D4) (*M5*)
Nach dem Besuch der Smithfield-Markthallen kann man sich hier stärken. Echt italienische Zutaten sorgen für besten Geschmack. Auch glutenfreies Essen. Im Shop: rosa Baiser, Biscotti, Olivenöl. *Mo–Fr 8–23, Sa/So 9–22.30 Uhr | 12 West Smithfield | Tel. 020 73 29 59 04 | www.carluccios.com/restaurants/smithfield | U-Bahn Circle, Hammersmith & City, Metropolitan: Farringdon* | €–€€

PRINCI (137 E–F5) (*J5*)
Italiener mit modernem Interieur. Der Holzofen spuckt beste Pizzen und INSIDER TIPP Mailänder Patisserien aus. Auch Take-away. *Tgl. 8–23, So Brunch ab 11 Uhr | 135 Wardour Street | Tel. 020 74 78 88 88 | www.princi.com | U-Bahn Central, Bakerloo, Victoria, Northern: Oxford Circus, Tottenham Court Road* | €

INSIDER TIPP THE REAL GREEK (138 A5) (*K5–6*)
Der Name ist Programm: In lebhafter Atmosphäre, mit freundlicher Bedienung und Gaumenfreuden wie Lammkoteletts, Halloumikäse-Spieß oder anständigem Retsina haben Sie im Herzen von London das Gefühl, in Griechenland zu sein. Sa keine Reservierung. *Mo–Sa 12–23, So bis 22.30 Uhr | 60–62 Long Acre | Tel. 020 72 40 22 92 | www.therealgreek.com | U-Bahn Piccadilly: Covent Garden* | €

SARDO ★ (137 E3) (*H4*)
Dieses wunderbare sardische Restaurant eignet sich für den romantischen Abend so gut wie für eine Gruppenbuchung. Versuchen Sie *Malloreddus*-Hartweizennudeln, *Spaghetti bottariga* (Soße aus Rogen der Meeräsche, Olivenöl) oder *Linguine al granchio* (mit Krabbenfleisch und Chili). *Sa-mittags und So geschl. | 45 Grafton Way | Tel. 020 73 87 25 21 | www.sardo-restaurant.com | U-Bahn Circle, Hammersmith & City, Metropolitan: Warren Street* | €€

INTERNATIONAL

INSIDER TIPP BRIXTON VILLAGE MARKET (O) (*O*)
Eine kulinarische Entdeckungsreise rund um die Welt gelingt in der Markthalle. Hier füllt z. B. *Mama Lan* die handgemachten Beijing-Knödel mit Fisch oder Fleisch. *Kao Sarn* kocht thailändische Nudelsuppen. Bei *The Joint* kommen die Chili-Chicken-Wings vom Grill ins Brötchen aus der *Bad-Boy's-Bakery*, einem Resozialisierungsprojekt. Die Auswahl bei *Honest Burgers* ist einfach nur köstlich, auch für Vegetarier. *Okan* bietet japanisches Street-food-Essen aus Osaka. *Tgl. ab 12 Uhr | Eingang von Coldharbour Lane | U-Bahn Victoria: Brixton* | €

LOW BUDG€T

In den Toprestaurants purzeln beim Mittagsmenü die Preise; *set meals* sind günstiger als à la carte. Angebote beim „Evening Standard" *(www.standard.co.uk)* und auf *www.london-eating.co.uk*.

Das *Tibits* **(137 E6) (*H6*)** *(12–14 Heddon Street | Tel. 020 77 58 41 10 | www.tibits.co.uk | U-Bahn Piccadilly, Bakerloo: Piccadilly Circus)* bietet eine Riesenauswahl an preiswerten, vegetarischen Gerichten. Kinderfreundliche Spielecke.

Eine Alternative für den Sommer: Picknick im Supermarkt kaufen und einen Liegestuhl in einem der vielen Parks mieten *(3 Std. £ 3,60)*.

SPEZIALITÄTEN

Ale – obergäriges britisches Bier; Londoner Favorit: *London Pride*
Bangers & Mash – Würstchen und Kartoffelbrei. Häufig in Pubs zu finden, wie das ursprüngliche Resteessen *Shepherd's Pie*, ein Auflauf aus Hammel- oder Rindfleischhack, überzogen mit gestampften Kartoffeln
Cider – naturtrüber Apfelwein
Crisps – Nationalsnack: Kartoffelchips, nicht zu verwechseln mit *chips* (Fritten/Pommes)!
Crumpets – rundes, weiches Hefegebäck mit Löchern; am besten getoastet mit gesalzener Butter
Curry – Korma- und Masala-Curries sind mild, Madras-Curries scharf *(hot)*, Vindaloos extrascharf (Foto re.). Vorher gibt's *poppadums* (Linsenmehlfladen) mit *pickles* (Zwiebeln, Chutney), dazu wird *naan*-Brot oder *chapati*-Flachbrot gereicht
Custard – Vanillesoße, oft als Alternative zu zuflüssiger süßer Sahne *(cream)* serviert, z. B. mit Apfelkuchen, Eis oder *crumble*-Fruchtstreuselkuchen
Fish & Chips – berühmter Snack: panierter Bratfisch & Pommes frites mit Salz und Malzessig (Foto li.)
Pie – Rinderhack-Teigpastete, viktorianisches Fast Food
Ploughman's Lunch – ein Pubklassiker: Brot, Butter, Käse, *pickles*, oft mit Salat serviert
Roast – ein *Sunday Roast*-Sonntagsbraten – Roastbeef oder Brathähnchen mit Bratkartoffeln und Soße – wird in Hotel-*carveries* und vielen Pubs serviert
Sandwiches – gefüllt mit: BLT – *bacon, lettuce, tomato* (Schinken, Salat, Tomate), *egg & cress* (Ei & Kresse), *cheese & tomato* (Käse & Tomate), *prawns* (Krabben)
Scones – weiche Brötchen, bestrichen mit Butter, Marmelade und Sahne *(oder clotted cream*, abgeschöpftem Rahm*)* sind sie fester Bestandteil des traditionellen Afternoon Teas

BUSABA EATHAI (137 F5) *(J5)*
Man sitzt dicht gedrängt, der Geräuschpegel ist hoch, doch die Schlangen draußen sprechen für sich. *Tgl. | 106–110 Wardour Street | Tel. 020 72 55 86 86 | www.busaba.com | U-Bahn Bakerloo, Piccadilly: Piccadilly Circus | €*

COMPTOIR LIBANAIS (136 C5) *(G5)*
Diner mit libanesischer Küche. Warme Mezzegerichte eignen sich zum Teilen. Lecker: Granatapfellimonade. *Tgl. 9–22.30 Uhr | 65 Wigmore Street | Tel. 020 79 35 11 10 | www.lecomptoir.co.uk | U-Bahn Central: Bond Street | €*

DISHROOM (138 A6) (*K6*)
Surrende Deckenventilatoren, gedimmte Beleuchtung: Zur Bombay-Atmosphäre werden indische Köstlichkeiten serviert: Tandoori-Grill und Biryanis, auch glutenfreie Gerichte. *Mo–Fr 8–23, Sa/So ab 9 Uhr | 12 Upper St Martin's Lane | Tel. 020 74 20 93 20 | U-Bahn Northern, Piccadilly: Leicester Square |* €–€€

HUMMUS BROS (137 F6) (*J5–6*)
Ein guter Rastplatz für den kleinen Hunger – frisch und günstig in Soho: Die leckere Sesampaste bildet die Basis für diverse heiße und kalte Toppings, mit warmem Pitabrot. *Tgl. | 88 Wardour Street | Tel. 020 77 34 13 11 | www.hbros.co.uk | U-Bahn Bakerloo, Piccadilly: Piccadilly Circus |* €

INSIDER TIPP **J & A CAFÉ** (139 D3) (*M4*)
Herzhafter Brunch am Wochenende, im Sommer auch draußen. Hausgemachter Kuchen, Suppen, Salate. Eingang etwas versteckt in der Great Sutton Street. *Tgl. | 4 Sutton Lane | Tel. 020 74 90 29 92 | www.jandacafe.com | U-Bahn Circle, Hammersmith & City: Barbican |* €

THE PALOMAR ★ (137 F6) (*J6*)
Moderne Kreationen aus der israelischen Küche mit Einflüssen aus Nordafrika, z. B. Muscheln mit Anis oder Tintenfisch mit Kichererbsen. Vorne an der Bar schaut man den Köchen zu. *Mo–Sa 12–14.30, 17.30–23, So 12–14.30 Uhr | 34 Rupert Street | Tel. 020 74 39 87 77 | www.thepalomar.co.uk | U-Bahn Piccadilly, Bakerloo: Piccadilly Circus |* €–€€

VEGETARISCH

VANILLA BLACK (138 C5) (*L5*)
Toll präsentierte Gerichte, freundlich-diskreter Service. Fürs Dinner einen Hauch überteuert: Lunchen Sie unter der Woche. *So geschl. | 17–18 Tooks Court | über Cursitor Street | Tel. 020 72 42 26 22 | www.vanillalblack.co.uk | U-Bahn Central: Chancery Lane |* €€€

Später wird's hier richtig voll: Thairestaurant Busaba Eathai

EINKAUFEN

> **WOHIN ZUERST?**
> **Oxford Street** bietet die großen Kaufhäuser (Selfridges, John Lewis, Debenhams). **Kensington** (Kens. High Street) und **Chelsea** (King's Road) sind hochkarätiger. **Neal's Yard** ist alternativ angehaucht. Die **Carnaby Street** ist wieder angesagt; interessante Läden finden Sie auch rund um **Brick Lane**. Overall-Favorit: **Covent Garden**

Shopping ist eins der großen Vergnügen jedes London-Besuchs, und es gibt nichts, was es hier nicht gibt. Zwar bleibt London ein teures Pflaster, dennoch lassen sich bei den Schlussverkäufen Anfang Januar und Juli sowie bei den mid-season sales gute Schnäppchen machen.

Ladenschluss ist meist um 20, donnerstags häufig erst um 21 Uhr. Die meisten Innenstadtgeschäfte haben sonntags von 12 bis 18 Uhr geöffnet. Immer mehr Läden haben ein Café dabei. Die australische Kaufhauskette ● *Westfield (www.westfield.com)* eröffnete 2009 das damals größte Shoppingcenter Europas in Westlondon, in dem heute knapp 300 Läden auf 150 000 m² Fläche untergebracht sind. Den Superlativ verlor das Center 2011 an die neue Filiale Stratford City im Osten der Stadt. Am anderen Ende des Spektrums: die *Pop-up shops* (zeitlich begrenzte Outlets, *www.londonpopups.com*). Die schicksten Bou-

Bild: Lebensmittelabteilung bei Harrods

Altehrwürdige Traditionen und neueste Modetrends, Märkte und Delikatessen, Antikes und Mitbringsel

tiquen für einen Schaufensterbummel finden sich in *Bond Street* und *Sloane Street,* viele witzige unabhängige Läden in Notting Hill und in INSIDER TIPP *Redchurch Street* im coolen East End. Die ★ *King's Road* ist seit den 1960er-Jahren eine der beliebtesten Einkaufsstraßen, die *Oxford Street* die bekannteste der Stadt. Hier stehen die meisten Kaufhäuser, mit Konzessionen der wichtigsten Designer unter einem Dach.

Einen Steinwurf von den Menschenmassen der Oxford Street entfernt bietet die *Marylebone High Street* ein weniger stressiges Einkaufserlebnis: trendige Interieurs, holistische Kosmetik, ausgefallene Küchenartikel, Bücher und Möbel; neu seit 2010: der Laden der *Designers Guild (Hausnr. 76)*. Ausgefallene Schuhläden gruppieren sich um *Neal Street* und *South Molton Street*. Buchhandlungen finden Sie vor allem entlang der *Charing Cross Road,* die *Berwick Street* hat wiederum Independent-Musikläden angezogen. Souvenirläden mit mehr oder weniger kitschigem Krimskrams sind überall im Zentrum zu finden. Das *Cool Britannia (www.coolbritannia.com)* an Piccadilly hat bis Mitternacht auf. Geschmackvolle Mitbringsel gibt es in den Museumsshops: Kunstbücher und -drucke, Schreibwaren, Schirme etc. Das originelle London Monopoly-Set bekommen Sie u. a. bei *Hamley's* (s. S. 116).

Cath Kidston: Pastellfarben sind in

ANTIQUITÄTEN

INSIDER TIPP SILVER VAULTS
(138 C4) (*🕮 L5*)
Antikes Silber in alten Gewölben mit 30 Läden hinter Safetüren, voll mit Silberlöffeln, Uhren, Schmuck, Serviettenringen, Vasen, Kerzenständern. Ein Erlebnis! *Sa nur bis 13 Uhr, So geschl. | Chancery House | 53–64 Chancery Lane | www.thesilvervaults.com | U-Bahn Central: Chancery Lane*

BÜCHER

ANY AMOUNT OF BOOKS
(137 F6) (*🕮 J6*)
Weitläufiges, altmodisches Secondhand-Bücherparadies. *Tgl. 10.30–21.30 Uhr | 56 Charing Cross Road | www.anyamountofbooks.com | U-Bahn Northern, Piccadilly: Leicester Square*

BOOKS FOR COOKS (134 A6) (*🕮 0*)
Kochbuch-Mekka mit Café, wo man Köstliches aus der Testküche probieren kann. Direkt gegenüber *The Spice Shop*, ein toller Laden: In dem von einer Schwarzwälderin gegründeten Gewürzparadies, das heute ihr Sohn leitet, finden Sie alles, von Ajowan-Kümmel über diverse Rinden und Beeren bis zu raffinierten Currymixturen. *Di–Sa 10–18 Uhr | 4 Blenheim Crescent | www.booksforcooks.com | U-Bahn Hammersmith & City: Ladbroke Grove*

DAUNT BOOKS (136 C4) (*🕮 G4*)
Seit einem Jahrhundert stöbern Reisebuch-Freunde in dieser schönen Buchhandlung mit langen Eichenholzgalerien und Oberlicht. Auch Secondhand-Abteilung, Klassiker und Neuheiten. *83 Marylebone High Street | www.dauntbooks.co.uk | U-Bahn Central: Bond Street*

WATERSTONES ● (146 A1) (*🕮 K5*)
Bei dieser Kettenbuchhandlung am Trafalgar Square können Sie bei Kaffee und Snacks schmökern. Lange Öffnungszeiten. Noch größere Filiale an *Piccadilly* (145 E1) (*🕮 J6*). *1–5 Strand | www.waterstones.co.uk | U-Bahn Charing Cross*

GESCHENKE

ARABEL LEBRUSAN ✪
(144 B4) (*🕮 F9*)
Die aus Spanien stammende, preisgekrönte Designerin Arabel Lebrusan

verarbeitet fair gehandelte Edelmetalle und -steine zu wunderschönen, edlen Schmuckstücken. Logistiktipp: Die *Saatchi Gallery* (s. S. 32) ist um die Ecke. *149 Sloane Street | www.arabellebrusan.com | U-Bahn Circle, District: Sloane Square*

@WORK (140 C3) (*🕮 Q4*)
Der Laden präsentiert den besten neuen Designerschmuck und originelle Accessoires aus dem angesagten East End. Stellen Sie bei einem Tageskursus Ihren eigenen Silberring selbst her (Werkstatt in der Filiale in Pimlico). *Tgl. | 160 Brick Lane | www.atworkgallery.co.uk | U-Bahn Overground: Shoreditch*

CATH KIDSTON (138 A5) (*🕮 K5*)
Die von den Fifties inspirierten Blumen-, Pünktchen- und Streifendrucke bleiben die Lieblinge britischer Magazine. Taschen, Schürzen, Handtücher, Stoffe, Geschirr etc. Mehrere Filialen. *Tgl. | 28–32 Shelton Street | www.cathkidston.co.uk | U-Bahn Covent Garden*

CERAMICA BLUE (134 A5) (*🕮 O*)
Hier gibt es schöne Teller, Schalen, Kacheln u. a. aus Frankreich, Italien, England oder Südafrika – in vielen Farben und Designs, und das zu vernünftigen Preisen. *10 Blenheim Crescent | www.ceramicablue.co.uk | U-Bahn Hammersmith & City: Ladbroke Grove*

CONTEMPORARY APPLIED ARTS
(147 E1) (*🕮 N7*)
Die Briten sind Top im Kunsthandwerk, *crafts,* mit einem zeitgenössischen Touch. In dieser Gemeinschaftsgalerie finden Sie Einzelstücke von 300 Top-Kunsthandwerkern und Künstlern: Schmuck, Metall- und Holz, Keramik, Glas, Textilien. *Tgl. | 89 Southwark Street | www.caa.org.uk | U-Bahn Jubilee: Southwark*

HOPE & GREENWOOD
(138 B6) (*🕮 K5–6*)
„Like a kid in a sweetshop", sagen die Briten, wenn jemand in seinem Element ist. In diesem britischen Sweetshop in Covent Garden finden Sie alle traditionellen Bonbons, Schokoladen-Buttons, krümelig-cremiges Fudge, Lakritz und vieles mehr. *1 Russell Street | Piccadilly: Covent Garden | www.hopeandgreenwood.co.uk | U-Bahn Piccadilly: Covent Garden*

HOTEL CHOCOLAT ★ (142 C3) (*🕮 B8*)
Feinste Schokolade in allen Preislagen. Eine Eigenkreation sind die „Giant Slabs", 500 g schwere Schokoladenplatten (£ 16,50). Das Unternehmen unterhält eine eigene Kakaoplantage in der Karibik. 25 Filialen in London. *163 Ken-*

MARCO POLO HIGHLIGHTS

★ **King's Road**
Einkaufsstraße – seit den Sixties beliebt → S. 73

★ **Hotel Chocolat**
Feinste Schokoladen aus eigenem Kakaopulver → S. 75

★ **Harrods**
Das Kaufhaus schlechthin – müssen Sie sehen → S. 76

★ **Liberty**
Wunderschöne Stoffe – ein Einkaufserlebnis → S. 76

★ **Fortnum & Mason**
Englischer bekommt man seine Delikatessen nirgends → S. 77

★ **Broadway Market**
Londons trendigster Straßenmarkt → S. 79

sington High Street | Tel. 020 79 38 21 44 | www.hotelchocolat.co.uk | U-Bahn Circle, District: High Street Kensington

LABOUR & WAIT (140 B3) (*🕮 P3*)
Moderne Version des traditionellen *hardware shops*. Geschmackvolle und nützliche Objekte und Zubehör fürs Haus, ansprechend präsentiert in einem ehemaligen Pub in einer immer trendigeren East-End-Straße. Mops, britische Arbeitskluft etc., alles mit Stil. *Mo geschl. | 85 Redchurch Street | www.labourandwait.co.uk | U-Bahn Northern: Old Street*

KAUFHÄUSER

HARRODS ★ (144 B3) (*🕮 F8*)
Hinter der ornamentalen Terrakottafassade und den grünen Markisen verbirgt sich eins der berühmtesten Kaufhäuser der Welt, das sich seit seiner Eröffnung 1849 rühmt, alles überallhin zu liefern, an jeden: „Omnia, Omnibus, Ubique". Die Londoner Institution hat über 5000 Angestellte und 300 Abteilungen. Besonders beliebt: die opulent getäfelte Jugendstil-Food Hall. 25 Jahre lang gehörte Harrods dem ägyptischen Geschäftsmann Mohammed Al Fayed, und der Springbrunnenschrein für seinen Sohn Dodi und Prinzessin Di in der *Egyptian Hall* wurde zu einer Attraktion. 2010 vekaufte Al Fayed das Haus an einen arabischen Investor. Achtung, es gilt eine Kleiderordnung: Sport-Shorts, Badeschlappen, abgeschnittene Jeans oder bauchfreie Tops sind tabu, Rucksäcke müssen abgenommen werden. *87–135 Brompton Road | www.harrods.com | U-Bahn Piccadilly: Knightsbridge*

LIBERTY ★ (137 E5) (*🕮 H5*)
Das schicke Kaufhaus mit der auffälligen Fachwerkfassade im Tudor-Stil und seiner schönen offenen Innenhalle ist spezialisiert auf ausgefallene Stoffe, Mode, feine Teppiche und Accessoires. Die Galerien und knarrenden Treppenstufen wurden aus den Balken der letzten beiden hölzernen britischen Kriegsschiffe geschnitzt. Die berühmten Liberty-Drucke (Paisley, Blümchen, Pfingstrosen) gibt es als Notizbücher, Schals, Kosmetiktaschen oder am laufenden Meter zu kaufen. *210–220 Regent Street | www.liberty.co.uk | U-Bahn Bakerloo, Central, Victoria: Oxford Circus*

SELFRIDGES ● (136 C5) (*🕮 G5*)
Sie haben nur zwei Stunden Zeit zum Einkaufen? Selfridges ist Londons bester One-Stop-Shop, mit Konzessionen der beliebtesten Londoner Designer, einer schicken Kosmetik- und Delikatessenabteilung – und leuchtend gelben Einkaufstüten. *400 Oxford Street | www.selfridges.com | U-Bahn Jubilee, Central: Bond Street*

LOW BUDG€T

Modebewusste Londoner stöbern in den *charity shops* – Secondhandläden *(www.charityshops.org.uk)* – der schicken Gegenden wie Chelsea, z. B. bei *British Red Cross* **(0)** **(*🕮 E11*)** *(69 Old Church Street | U-Bahn Circle, District: Sloane Square)*.

Spottbillige Variationen der neuesten Modetrends gibt's bei *Primark* **(136 B6)** **(*🕮 F5–6*)** *(499–517 Oxford Street | www.primark.co.uk | U-Bahn Central: Marble Arch)* und bei *Peacocks* **(139 F2)** **(*🕮 O3*)** *(201–203 Old Street | www.peacocks.co.uk | U-Bahn Northern: Old Street)*.

Selfridges: Hier findet man auf kurzen Wegen vielfältige und coole Designerware

KLASSIKER

ALGERIAN COFFEE STORES
(137 F6) *(🕮 J5–6)*

Ein Soho-Klassiker seit über 120 Jahren, mit 80 Sorten Kaffee, vom relativ normalen Bio-Bolivianer über den berühmten Jamaica Blue Mountain zum teuersten Gourmetkaffee der Welt, der vor der Röstung den Verdauungstrakt einer Katze passiert, plus 120 Sorten Tee, in heimeligem Ambiente. Kaffee hielt im 18. Jh. die philosophische Diskussion in Londoner Kaffeehäusern wach, heute herrscht ein neuer Coffee Boom. Günstiger Steh-Cappuccino. *So geschl. | 52 Old Compton Street | www.algcoffee.co.uk | U-Bahn Northern, Piccadilly: Leicester Square*

FORTNUM & MASON ★
(145 E1) *(🕮 H6)*

Wunderbar exzentrisch, sehr englisch – allein die Schaufenster sind Kunstwerke! Haupt-Touristenmagnet ist die berühmte Feinkostabteilung mit Marmorsäulen und Kronleuchtern; Hoflieferant seit 1707. Auch Mode, Accessoires, Geschenke, Afternoon Tea. *181 Piccadilly | www.fortnumandmason.com | U-Bahn Bakerloo, Piccadilly: Piccadilly Circus*

JAMES SMITH & SONS
(138 A5) *(🕮 K5)*

So ein Schirm kann in London manchmal ganz nützlich sein ... Dieser 1830 gegründete Familienbetrieb verkauft *umbrellas* vom Knirps bis zum Sonnenschirm, plus Wanderstöcke & Co. *53 New Oxford Street | www.james-smith.co.uk | U-Bahn Central, Northern: Tottenham Court Road*

TWININGS (138 C5) *(🕮 L5)*

Seit 300 Jahren wird in diesem engen, holzgetäfelten Schlauchladen Traditionstee verkauft: Es gibt Dutzende von Sorten. Schön: die Selection-Packs mit verschiedenen Variationen und die Möglichkeit, Teebeutel auch einzeln zu kaufen. INSIDER TIPP Minimuseum und Tastingbar für eine kostenfreie Tasse losen

Tee. *216 Strand | www.twinings.co.uk | U-Bahn Circle, District: Temple*

KOSMETIK

BOOTS (137 D6) (*🕮 J6*)
Beliebte Drogeriekette mit vielen Filialen. In größeren Läden auch Medika-

Borough Market: beliebt für englischen Farmhauskäse

mente und Miniaturkosmetik. *Mo–Sa bis 24, So 12–18 Uhr | 44–46 Regent Street | www.boots.com | U-Bahn Bakerloo, Piccadilly: Piccadilly Circus*

JO MALONE (144 B4) (*🕮 F9*)
Exklusiv-trendige Parfümerie mit eigener Parfümkollektion, individuell zusammengestellter Pflegekosmetik, Duftkerzen etc. *150 Sloane Street | www.jomalone.co.uk | U-Bahn Circle, District: Sloane Square*

NEAL'S YARD REMEDIES
(138 A5) (*🕮 K5*)
Seit nun schon dreißig Jahren etablierte, gute Biokosmetik mit aromatherapeutischen Ansprüchen. Die Produkte enthalten ausschließlich natürliche Zutaten und werden nicht an Tieren getestet. Neu sind die praktischen kleinen Reisegrößen zum Ausprobieren. Der Original-Shop steht in Neal's Yard, Covent Garden; Filialen gibt es aber mehrere überall in London. *15 Neal's Yard | www.nealsyardremedies.com | U-Bahn Piccadilly: Covent Garden, Central, Piccadilly: Holborn, dann kurzer Fußweg, die Filiale Covent Garden ist immer sehr voll*

PENHALIGON'S (144 B5) (*🕮 E–F10*)
Dieses Traditions-Parfümhaus wurde um 1860 vom Barbier Penhaligon, Parfümeur von Queen Victoria, gegründet. Seifen und eigene Parfüms, berühmt: „Bluebell". *132 King's Road | www.penhaligons.com | U-Bahn Circle, District: Sloane Square*

MÄRKTE & MARKTSTRASSEN

BOROUGH MARKET ●
(147 F1) (*🕮 O6*)
Seit dem 13. Jh. wird an diesem Platz schon Obst und Gemüse verkauft. Heute eine beliebte Adresse für biologische Lebensmittel, Käse, leckere Patisserien, gute Snacks, Fleisch, frischen Fisch und Spezialitäten aus aller Herren Länder. Kommen Sie wenn möglich donnerstags, da tritt man sich weniger auf die Füße. *Mi–Fr 10–17, Sa 8–17 Uhr | Ecke Borough High Street/Stoney Street | www.boroughmarket.org.uk | U-Bahn Jubilee, Northern: London Bridge*

BROADWAY MARKET ★ ● (0) (*R1*)
Markt ist hier nur samstags, aber die Straße zwischen London Fields-Park und dem Regent's Canal ist auch so einen Besuch wert: urige Pubs, *F. Cooke's* Aalpasteten, trendige Cafés und Delis, Bio-Obst und Gemüse, Buch- und Weinladen; eine Fundgrube lokaler Designer ist *Fabrications;* viel London-Atmosphäre. Probieren Sie während des Markts die leckeren Violet's Cupcakes, mit saisonal wechselnder Glasur. *(www.broadwaymarket.co.uk | Zug London Fields)*. Alternativ: Gehen Sie von der U-Bahn-Station Bethnal nach Norden auf der Cambridge Heath Road und werfen Sie unterwegs einen Blick in das *Museum of Childhood (Eintritt frei | www.vam.ac.uk/moc)*. Dann ein kurzes Stück westwärts am Kanal entlang *(Andrews Road)*.

CAMDEN MARKET ● (0) (*G–H1*)
Hier finden Sie Touri-Trödel neben jungen, witzigen Designtrends: Klamotten, Schmuck, Doc Martens. Mischen Sie sich unter die Londoner Punks und Goths – und erholen Sie sich vom Wochenendtrubel bei Kaffee oder Gesundheits-*Smoothie*. Oder wandeln Sie auf Amy Winehouses Spuren: zum 2014 aufgestellten Denkmal in typischer Pose, mit Bienenkorbfrisur oder in ihren Stammpub *Hawley Arms (2 Castlehaven Road). Tgl. | www.camdenmarkets.org | U-Bahn Northern: Camden Town*

PORTOBELLO ROAD MARKET
(134 B5) (*A5–6*)
Samstags Londons größter Straßenmarkt für Antiquitäten; auch Trödel, Obst, Gemüse; Secondhand- und Designermode im Abschnitt nahe Westway. Am besten vom Notting-Hill-Ende aus anfangen. *Sa | Portobello/Golborne Road | www.portobelloroad.co.uk | U-Bahn Central, Circle, District: Notting Hill Gate*

SPITALFIELDS MARKET
(140 B4) (*P4*)
Kleider, Schmuck, Handtaschen, Grußkarten u. a. in einer viktorianischen Markthalle; samstags INSIDER TIPP *Style Market* mit trendigen Designern. *Mo–Fr 10–17, Sa ab 11, So ab 9 Uhr | 65 Brushfield Street/Commercial Street | www.visitspitalfields.co.uk | U-Bahn Liverpool Street*

MODE

AGENT PROVOCATEUR (137 E5) (*J5*)
Satin, Schleifchen, Stickereien: sexy Dessous für Glamour Girls. *6 Broadwick Street | www.agentprovocateur.com | U-Bahn Bakerloo, Central, Victoria: Oxford Circus*

BURBERRY (137 D6) (*H6*)
Unter Christopher Bailey hat die klassisch-britische Karomarke ein neues Image bekommen. Flagship-Store. *Tgl. | 21–23 New Bond Street | www.burberry.com | U-Bahn Bond Street*

INSIDER TIPP COLLECTIF
(138 A5) (*K5*)
Vintagemode-Lover werden hier fündig. Die Kleider und Blusen aus Polka-Dot- und Blumenstoffen im Stilmix aus 40er/50er-Jahre, Rockabilly und modernem Design sind bezahlbar. Chic: Matrosenjacken und schräg: Plastikhandtasche im Stil eines 1940er-Jahre-Kofferradios. *37 Endell Street | www.collectif.co.uk | U-Bahn Piccadilly: Covent Garden*

DOVER STREET MARKET
(145 D1) (*H6*)
Beautiful chaos ist der Slogan dieses angesagten Shoppingkonzepts, entworfen von der japanischen *Comme-des-Garçons*-Chefin Rei Kawakubo: Designermode auf fünf Stockwerken in

Mayfair. *Tgl. | 17–18 Dover Street | www.doverstreetmarket.com | U-Bahn Bakerloo, Piccadilly: Piccadilly Circus*

ECO AGE (0) *(0)*
Die Ökoschick-Boutique der Ehefrau des oscargekrönten Schauspielers Colin Firth verkauft schöne und spannende Mode, Accessoires sowie Einrichtungsgegenstände. In ihrer *Green Carpet Collection* finden sich namhafte Firmen wie z. B. Chopard und Gucci, die fair und nachhaltig produzieren. Tipp: Verbinden Sie das ethische Shopping mit einem Besuch der wunderschönen *Chiswick Gardens* oder einem entspannten Spaziergang an der Themse. *Di–Sa 10–18 Uhr | 334–336 King Street | www.eco-age.com | U-Bahn District Stamford Brook | Bus Nr. 94 von Piccadilly*

ORLA KIELY (144 A6) *(E10)*
Die irische Designerin Orla Kiely kreierte ursprünglich Hüte. Neben ihrer Designarbeit für bekannte Labels entwirft sie für ihre eigenen Boutiquen Mode, Handtaschen, Küchenutensilien und vieles mehr. Typisch: Sixties-Charme und Grafik-Blätter-Print. Zu ihren Kunden zählt auch Prinz Williams Ehefrau Kate. *Tgl. 10–18 Uhr | 207 King's Road | www.orlakiely.com/uk | U-Bahn Circle, District: Sloane Square*

REISS (144 B5) *(F10)*
Die Mode von Reiss füllt preislich die Lücke zwischen High Street und Designer – immer sehr geschmackvoll und gut geschnitten für Damen wie für Herren. Viele Filialen in London. *114 King's Road | www.reissonline.co.uk | U-Bahn Circle, District: Sloane Square*

SOCCER SCENE (137 E6) *(H6)*
Sports-Shirts der großen Premier-League-Fußballclubs für Väter, Onkel, Söhne, Enkel ... Hier gibt's Fußballschuhe und alles rund um den Ball aus dem Mutterland des Fußballs. Und Rugby-Shirts sehen auch an Frauen gut aus! *56 Carnaby Street | www.soccerscene.co.uk | U-Bahn Oxford Circus*

MUSIK

HMV (136 B5) *(F6)*
Mit über 4600 m² Verkaufsfläche ist „His Master's Voice"-Megastore das größte im Land. *363 Oxford Street | www.hmv.com | U-Bahn Jubilee, Central: Bond Street*

ENTSPANNEN & GENIESSEN

Shoppen ist anstrengend – gönnen Sie sich eine entspannende Pause. Das ● *Casa Spa* **(135 E3)** ***(D4)*** *(439 Edgware Road | Tel. 020 77242030 | www.casaspa.co.uk | U-Bahn Bakerloo: Edgware Road)* auf der arabisch geprägten Edgware Road bietet eins der wenigen authentischen Hamam-Erlebnisse der Stadt. Dampfbad, robustes Ganzkörper-Peeling mit Oliven-Kieselsäureschlamm, Honig-Haarpackung. Oder relaxen Sie einen halben Tag im ● *Palm Court Chuan Spa* **(137 D4)** ***(H5)*** *(Di–Do ab 11 Uhr | 1 C Portland Place, Regent Street | ab £ 210 | vorbuchen unter: Tel. 020 76361000 | short.travel/lon14 | U-Bahn Green Park)* mit *Tea Therapy*: Salzsauna, Massage, Teeritual und anschließendem Afternoon Tea im *Palm Court* (s. S. 64).

ROUGH TRADE EAST ●
(140 C3–4) *(🕮 Q4)*
Musikladen mit toller Auswahl an Indie, Rock, Dance, Countryfolk und Richtungen, von denen Sie wahrscheinlich noch nie gehört haben, mit *listening posts* zum Reinhören. Außerdem Bücher, Merchandisingartikel, T-Shirts etc., ein beliebter Passfotoautomat und ein kleines Café. Sachkundige, hilfsbereite Bedienung. In-Store-Konzerte. *Old Truman Brewery | 91 Brick Lane | www.roughtrade.com | U-Bahn Liverpool Street*

SCHUHE

CLARKS (137 D5) *(🕮 H5)*
Die britische Schuhhauskette fabriziert seit 1825 gut gemachte und bezahlbare Schuhe – von schick bis bequem mit Luftpolstersohle *(weitere Filiale: 203 Regent Street)*. *260 Oxford Street | www.clarks.co.uk | U-Bahn U-Bahn Central, Victoria, Bakerloo: Oxford Circus*

OFFICE (138 A5) *(🕮 K5)*
Tragbar bis *crazy* und nicht zu teuer sind die Damen- und Herrenschuhe in witzigen Formen, Mustern, Materialien. Hier finden Sie „Hunter"-Gummistiefel. Für eine Stufe mehr Klasse: um die Ecke unterhält der gleiche Betreiber *Poste Mistress (61–63 Monmouth Street)*, für viele der beste Schuhladen der Stadt, für Damen und Herren. *57 Neal Street | www.office.co.uk | U-Bahn Piccadilly: Covent Garden*

Office präsentiert die neuesten Trends in Sachen Fußmode

VIVOBAREFOOT ♻ (138 A5) *(🕮 K5–6)*
Die Philosophie hinter diesen Schuhen orientiert sich am Barfußlaufen: Neben einer minimalistischen Ausstattung haben die Schuhe eine extrem dünne Sohle. Die Schuhe werden aus recycelten Materialien umweltfreundlich und ethisch korrekt produziert. *Mo–Sa 10.30–19, So 12–18 Uhr | 64 Neal Street | www.vivobarefoot.com/uk | U-Bahn Piccadilly: Covent Garden*

AM ABEND

> **WOHIN ZUERST?**
> Das **West-End** um Piccadilly Circus, Leicester Square und Covent Garden bietet die größte Dichte an Theatern, Kinos, Bars, Clubs. **Camden** bedient die alternativere Szene, **Islington High Street** ist ein guter bürgernaher Kompromiss, während sich im trendigen **East End** (Hoxton, Shoreditch, Dalston) die angesagtesten Clubs und Bars verstecken.

London ist die Heimat weltberühmter Sinfonieorchester und Tanzensembles und hat als Theaterstadt New York den Rang abgelaufen; Stars wie Kevin Spacey, Gillian Anderson und Keira Knightley spielen hier für wenig Geld. Londoner Clubs setzen Trends, während die Pubs noch immer die Wohnzimmer der Londoner sind, in denen Klassengegensätze verwischen.

Im Pub bestellen Sie an der Bar und bezahlen sofort, ohne Trinkgeld zu geben. Ein *pint* entspricht etwa 0,5 Liter; Männer lassen sich nur ungern mit einem halben *(half)* in der Hand erwischen! Alkohol wird nur an Gäste über 18 abgegeben, und Kinder sind nur in wenigen Pubs gern gesehen. Traditionelle *spit-and-sawdust*, „Spucke und Sägespäne"-Pubs weichen immer mehr Bars und Gastropubs, Pubs mit interessanten Bieren und guter Küche. Standard-Öffnungszeiten: Mo–Sa 11–23, So 12–22.30 Uhr; der Tag endet stets mit den gefürchteten

 Bild: Leicester Square

Einzigartige Vielfalt: traditionelle Pubs, mitreißende Musicals, hochkarätige Klassikkonzerte, trendige Clubs

Rufen „Last orders!" für die letzte Runde und „Time, please!" zum Austrinken. Im Zuge der *licensing laws*-Reform haben einige Pubs jetzt aber verlängerte Öffnungszeiten. Die Clubszene, von Superclubs bis zu winzigen Basement-DJ-Bars, folgt schnell wechselnden Trends. Die angesagtesten *clubnights* für House, Techno, Hip-Hop und Mischformen wie Electroclash oder Dubstep finden an wechselnden Orten *(venues)* statt.

Die teuersten Premierenkinos mit dem besten Sound gruppieren sich um *Leicester Square*. Tickets kosten £ 13,50–20; nachmittags *(matinees)* und montags wird es billiger. Wenn Sie schnellem, umgangssprachlichem Englisch folgen können, probieren Sie einen der 150 Londoner Comedyclubs oder einen Pubabend mit *stand-up*, Improvisations-Comedy. Pulsmesser der Stadt, mit Ausgehtipps inklusive Gratisevents *(freebies)* und *Money-Off*-Gutscheinen ist das „Time Out"-Veranstaltungsmagazin (mittwochs, *www.timeout.com/london)*. Auch die Gratiszeitung „Evening Standard" *(www.*

standard.co.uk) bietet nützliche Infos über aktuelle Musicals, Konzerte etc.; *www.londonnightguide.de* hilft Ihnen über What's App *(Tel. 0752 3528885)* bei der Tisch- und Gästellistereservierung, Buchungen von Theater-, Kino- oder Konzertkarten über Kreditkarten.

All Star Lanes: sportliche Bar à la USA, nur ein bisschen edler

BARS

69 COLEBROOKE ★ (0) *(M1)*
Gefeierte Cocktailbar in Islington mit innovativen Kreationen von Tony Conigliaro, mit Background in Kunst und Mode; und £ 9,50 für seriös geschüttelte und gerührte Hauscocktails ist gar kein schlechter Preis! Sie sollten unbedingt reservieren! *Tgl. ab 17 Uhr | 69 Colebrooke Row | Tel. 075 40 52 85 93 | www.69colebrookerow.com | U-Bahn Northern Angel*

ABSOLUT ICE BAR (137 E6) *(H6)*
Eine coole location – im wahrsten Sinne des Wortes. In dieser Filiale der schwedischen *Ice Bar* herrschen das ganze Jahr über minus 5 Grad Celsius. Alles außer der Decke ist aus Eis: Wände und Tische, die Deko sowie die Gläser für die wärmenden Wodkacocktails. *Tgl. | £ 13–16 inkl. Cocktail (je nach Tageszeit) | 31–33 Heddon Street | Tel. 020 74 78 89 10 | www.icebarlondon.com | U-Bahn Baker, Piccadilly: Piccadilly Circus*

ALL STAR LANES ● (138 A4) *(K4)*
Beim „Boutique-Bowling" wird hier auf die *strikes* (alle Zehne) gern mit Champagner oder Mint-Juleps-Cocktails angestoßen. Eine Filiale gibt es auch in der Brick Lane im trendigen Shoreditch. *Mo–Do ab 16, Fr–So ab 12 Uhr | Victoria House | Bloomsbury Place | Tel. 020 70 25 26 76 | www.allstarlanes.co.uk | U-Bahn Central, Piccadilly: Holborn*

CONNAUGHT BAR ★ (136 C6) *(G6)*
Superangesagt, vielleicht die beste Hotelbar Londons: vom Deko-Guru David Collins im Art-déco-Stil eingerichtet. Gastfreundliches Flair alter Schule. „Mayfair Delight" oder eine alkoholfreie „Bloody Mary" probieren! *So geschl. | 16 Carlos Place | Ecke Mount St. | Tel. 020*

73 14 34 19 | www.the-connaught.co.uk | U-Bahn Central, Jubilee: Bond Street

INSIDER TIPP HAPPINESS FORGETS (140 A2) (*P3*)
Eine der besten Bars im angesagten Shoreditch. Beleuchtung, komfortable Sessel, Vintagemöbel verbreiten eine warme Atmosphäre. Das Personal berät bei der Cocktailauswahl oder bringt einen Wunsch-Mix. Versuchen Sie den *Tokyo Collins,* die japanische Variante eines *Tom Collins*. Trendy Location: vorbuchen! *Tgl. 17–23 Uhr | 8–9 Hoxton Square | Tel. 020 76 13 03 25 | www.happinessforgets.com | U-Bahn Northern: Old Street*

KETTNERS (137 F6) (*J5–6*)
Beliebte Champagnerbar mit Gemälden und Ledersesseln, Treffpunkt der Soho-Medienmacher. Glas Champagner ab £ 12,50; Tipp: englische Cuvées! Livejazz. *Mo–Mi 12–23, Do–Sa bis 0.30, So bis 22.30 Uhr | 29 Romilly Street | Tel. 020 77 34 61 12 | www.kettners.com | U-Bahn Northern, Piccadilly: Leicester Square*

LONSDALE (134 B5) (*A5*)
Von der U-Bahn-Station Notting Hill Gate geht's durch die berühmte Portobello Road zu dieser preisgekrönten Cocktailbar mit spektakulärem Design und relaxter Atmosphäre. Probieren Sie die „London Classics"! *Di–Do 18–24, Fr/Sa bis 1 Uhr, So/Mo geschl. | 48 Lonsdale Road | Tel. 020 77 27 40 80 | www.thelonsdale.co.uk | U-Bahn Central: Notting Hill Gate*

MARK'S BAR (137 E6) (*H/J6*)
Stets gut gefüllte Bar im Basement, die neben den klassischen Cocktails eine große Auswahl an schottischen Whiskeys bereithält. Dazu gönnt man sich Bar-„snax", z. B. britischen „Yorkshire Pudding", während man in eines der bequemen Ledersofas sinkt. *Mo–Sa 11–1, So 11.30-24 Uhr | 66–70 Brewer Street | Tel. 020 72 92 35 18 | www.marksbar.co.uk | U-Bahn Piccadilly, Bakerloo: Piccadilly Circus*

INSIDER TIPP SKYLOUNGE (140 B6) (*P6*)
Die gläserne Cocktailbar im obersten Stockwerk des „DoubleTree Hilton – Tower of London" bietet einen wunderbaren Ausblick auf Londons Südufer, Themse und Tower Bridge, den neuen Skyscraper The Shard und die St Paul's Cathedral. Noch cooler: im Sommer beim Chillen von der angeschlossenen Dachterrasse. Drinnen kann man Tische reservieren. *Mo–Sa 11–2, So bis 1 Uhr | 7 Pepys Street |*

MARCO POLO HIGHLIGHTS

★ **69 Colebrooke**
Der neueste Kid on the Block der Cocktailbars setzt Standards → S. 84

★ **Connaught Bar**
Stilvolle Hotelbar mit erstklassigen Cocktails → S. 84

★ **Fabric**
Dancefloor in der ehemaligen Fleischlagerhalle: a Good Night Out im Megaclub → S. 86

★ **English National Opera**
Ohren- und Augenweide für alle Freunde des klassischen Repertoires → S. 89

★ **Black Friar**
Der wunderschöner Jugendstil-Pub lädt zum längeren Verweilen ein → S. 90

★ **The Dove**
Vierhundertjähriger Pub an der Themse → S. 90

Tel. 020 77 09 10 43 | doubletree3.hilton.com | U-Bahn Central, District: Tower Hill

ROTUNDA BAR (0) (*K2*)
Die Bar im *King's Place* mit Blick auf den Regent's Canal bietet INSIDER TIPP „Make Me a Mixologist"-Cocktailkurse für hoffnungsfrohe Mixologisten mit Instruktionen, Begrüßungsprosecco und Knabbereien *(Mo, Di, Sa 17–19, Mi, Do, Fr, So 15–17 Uhr | £ 30/90 Min.). Tgl. | King's Place | 90 York Way | Tel. 020 70 14 28 40 | www.rotundabarandrestaurant.co.uk | U-Bahn King's Cross*

CLUBS & CLUBNIGHTS

Für Nachtschwärmer: *www.latenightlondon.co.uk* oder *www.londonnet.co.uk*. Wer sich auf die *guestlist* setzen lässt, minimiert Schlangestehen.

BALBOA IN WEST LONDON ●
(0) (*O*)
Freitags tanzen Londoner in Chiswick den Balboa-Swingstep der 1930er-Jahre von der US-Westküste. Garantiert touristenfrei! Kein Partner nötig. 19.30–20.30 Uhr INSIDER TIPP Anfängerkurs *(£ 8)*, anschl. freier Tanz. *The Pilot | 56 Wellesley Road | U-Bahn District: Turnham Green*

CLUB AQUARIUM (140 A1) (*O3*)
Dancefloor mit Pool und Jacuzzi. House, Techno, Electronic je nach Wochentag. Bei der Saturday-night-fever-Party INSIDER TIPP „Carwash" mit Diskofunk-Klassikern trägt der unerschrockene Clubber 70er-Jahre-Klamotten. *Do 23–6, Fr/So bis 7 Uhr | £ 10 | 256–260 Old Street | Tel. 07796 85 78 08 | www.clubaquarium.co.uk | U-Bahn Northern: Old Street*

FABRIC ★ (139 D4) (*M4*)
Weitläufiger Megaclub in ehemaliger Fleischlagerhalle. Die coole, aber nicht zu gespreizte Klientel tanzt auf dem vibrierenden Bodysonic-Dancefloor. Fr/Sa lange Schlangen. Keine Business-Anzüge erlaubt! *Fr, Sa, So ab 23 Uhr | £ 14–24 | 77 a Charterhouse Street | Tel. 020 73 36 88 98 | www.fabriclondon.com | U-Bahn Circle, Hammersmith & City, Metropolitan: Farringdon*

NOTTING HILL ARTS CLUB ●
(142 C1) (*B6*)
Relaxter Club, von Weltmusik über Bhangra und Flamenco bis Underground. *Meist Mo–Fr ab 19, Sa/So ab 16 Uhr, vor 20 (So vor 18) Uhr Eintritt frei, dann £ 6–8 | 21 Notting Hill Gate | Tel. 020 74 60 44 59 | www.nottinghillartsclub.com | U-Bahn Central, Circle, District: Notting Hill Gate*

SALSA! (137 F5) (*J5*)
Etablierter Latinclub mit Salsakursen und brasilianischem Café. Cocktails, Happy Hour tgl. 17–20 Uhr. *Tgl. ab 19 Uhr | Salsakurse £ 5, Eintritt je nach Tageszeit frei bzw. bis £ 10 | 96 Charing Cross Road | Tel. 020 73 79 32 77 | www.bar-salsa.com | U-Bahn Central, Northern: Tottenham Court Road*

Kino der Superlative: IMAX Cinema des British Film Institute

XOYO (140 A2) (*🕮 O3*)
Dynamischer Newcomer in Shoreditch im typischen Lagerhallen-Schick, mit Livemusik und DJs sowie kulturellen Events. Dubstep und House herrschen vor; Tape, Sneak und Sista Sista. *Zeiten variieren je nach Event | £ 5–16 | 32–37 Cowper Street | Tel. 020 73 54 99 93 | www.xoyo.co.uk | U-Bahn Northern: Old Street*

COMEDY

THE COMEDY STORE (137 F6) (*🕮 J6*)
In dem beliebtesten Club der Stadt formierte sich Anfang der Siebzigerjahre die alternative Comedyszene. *Tgl. ab 18.30 Uhr | £ 12–25 | 1a Oxendon Street | Tel. 0844 8 71 76 99 (*) | www.thecomedystore.co.uk | U-Bahn Bakerloo, Piccadilly: Piccadilly Circus*

KINOS

BFI LONDON IMAX CINEMA
(146 C2) (*🕮 L7*)
Sie erleben 3-D-Movies, Opernübertragungen und *All Nighters*-Nächte auf dem größten Bildschirm des Landes (26 m). *£ 12–19 | 1 Charlie Chaplin Walk | South Bank | Tel. 020 79 28 32 32 | www.bfi.org.uk/bfi-imax | U-Bahn Waterloo*

BRITISH FILM INSTITUTE
(146 C1) (*🕮 L7*)
Hier laufen Retrospektiven, Themen- und Regisseur-Specials: ein Paradies für *film buffs*. Cooles Caférestaurant. In der ● Mediathek *(Di–So 12.30–20 Uhr)* können Sie gratis Filme sehen. *South Bank | Tel. 020 79 28 32 32 | www.bfi.org.uk | U-Bahn Waterloo*

KONZERTE & GIGS

BARBICAN (139 E–F4) (*🕮 N–O4*)
In diesem Labyrinthkomplex verirren sich selbst Einheimische. Das Kulturzentrum, Heimat des London Symphony Orchestra, bietet ein exzellentes Konzert-, Ausstellungs- und Theaterprogramm. *£ 10–65 | Silk Street | Tel. 020 76 38 88 91 | www.barbican.org.uk | U-Bahn Circle, Hammersmith & City, Metropolitan: Barbican*

CADOGAN HALL (144 B–C4) (*🕮 F9*)
Die Konzerthalle ist in einer turmgekrönten ehemals von der „Boston Church of Christ"-Sekte genutzten Kirche aus dem

frühen 20. Jh. untergebracht. Diverse Musikrichtungen, hohe Qualität. *5 Sloane Terrace | Tel. 020 77 30 45 00 | www.cadoganhall.com | U-Bahn Circle, District: Sloane Square*

RONNIE SCOTT'S (137 F5) (*🕮 J5*)
Jazzkonzerte mit den besten Namen der Szene; informelle Atmosphäre. So-Mittag finden Lunchtime-Konzerte statt. *Tgl. ab 18 Uhr | ab £ 15 | 47 Frith Street | Tel. 020 74 39 07 47 | www.ronniescotts.co.uk | U-Bahn Northern, Piccadilly: Leicester Square*

VORTEX JAZZ CLUB (0) (*🕮 0*)
Seit nahezu 30 Jahren der Ort für modernen Livejazz. Mit bekannten Musikergrößen gewann der Club den Livejazz-Preis 2013 und bietet jungen Talenten eine Plattform (tgl. 20–24 Uhr). Kleine und große Bites gibt's In der Downstairs-Bar (Mo–Fr 17–21.30, Sa/So 12–21.30 Uhr). *Ab £ 10 | 11 Gillett Square | Tel. 020 72 54 40 97 | www.vortexjazz.co.uk | Dalston Kingsland (Overground)*

LOW BUDG€T

Aktuelles, Klassiker, Kult (ab £ 8,50): im *Prince Charles Cinema* **(137 F6) (*🕮 J6*)** *(Chinatown | 7 Leicester Place | Tel. 020 74 94 36 54 | www.princecharlescinema.com | U-Bahn Northern, Piccadilly: Leicester Square).*

Theaterkarten für den gleichen Abend zum halben Preis (zzgl. £ 3 Gebühr) gibt es in den tkts-Theaterkassen *(www.tkts.co.uk). Tkts Leicester Square* **(137 F6) (*🕮 J6*)** *(Südseite | Mo–Sa 9–19, So 11–16.30 Uhr | U-Bahn Northern, Piccadilly: Leicester Square).* Karten für den Nachmittag *(matinees)* und den Abend sind an zwei unterschiedlichen Fenstern erhältlich (2 Karten/Pers.).

MUSICALS

BILLY ELLIOT (145 D4) (*🕮 H8*)
Die Geschichte eines ballettbegeisterten Jungen wurde auch verfilmt. Beim Musical war Elton John involviert. *£ 28–86 | Victoria Palace Theatre | Tel. 0844 2 48 50 00 (*) | www.billyelliotthemusical.com | U-Bahn Victoria*

CHARLIE AND THE CHOCOLATE FACTORY (138 B6) (*🕮 K6*)
Oscar-Preisträger Sam Mendes führte Regie für das Musical um den jungen Charlie Bucket, den geheimnisvollen Schokoladenfabrikanten Willy Wonka und fünf goldene Tickets. Die Geschichte wurde zweimal verfilmt. *Mo–Sa 19.30, Mi, Sa 14.30 Uhr | £ 25–70 | Theatre Royal Drury Lane | Tel. 0844 8 58 88 77 (*) | www.charlieandthechocolatefactory.com | U-Bahn Piccadilly: Covent Garden*

MAMMA MIA! (138 B6) (*🕮 K6*)
Best Of Abba: die Hits, zusammengehalten von einem dünnen Plot, aber großer Feelgood-Faktor. *Novello Theatre (Aldwych | Tel. £ 15–68 | Tel. 0844 4 82 51 15 (*) | www.mamma-mia.com | U-Bahn Circle, District: Temple)*

MUSIKBARS

CAFÉ OTO (0) (*🕮 0*)
Oto bedeutet auf Japanisch „Klang", und hier hören Sie die aktuellsten eklektischen World-Sounds im abgerissen-trendigen Dalston – mit japanischen Snacks, Quiches, Ale, Cider und gutem Kaffee. *Tgl., Café für Soundcheck 17.30–20 Uhr geschl. | 18–22 Ashwin Street | www.*

cafeoto.co.uk | Zug: Dalston Kingsland, Dalston Junction (Overground)

INSIDER TIPP **STAR OF BETHNAL GREEN**
(141 D2) (*🕮 R3*)
Hier trifft sich das trendige East End zu DJ-Sets, Gigs, Comedy-Shows, Quiz- und Karaoke-Abenden, Roast-Dinners, Games-Tauschbörsen u. a. Veranstaltungen. Große Auswahl an erschwinglichen Gerichten. *359 Bethnal Green | Tel. 020 74 58 44 80 | www.starofbethnalgreen.com | U-Bahn Central: Bethnal Green*

OPER

ENGLISH NATIONAL OPERA ★
(138 A6) (*🕮 K6*)
Die ENO im Coliseum ist die Heimat des klassischen Opernrepertoires in englischer Sprache. So funktioniert die Kartenlotterie *Secret Seats:* Man kauft online für £ 20 ein Ticket und bekommt einen Platz, der mindestens £ 25 wert ist. *Tickets £ 12–125 | 33 St Martin's Lane | Tel. 020 78 45 93 00 | www.eno.org | U-Bahn Northern, Piccadilly: Leicester Square*

KING'S HEAD (0) (*🕮 M1*)
Das älteste Pub-Theater der Stadt (seit 1970) im Hinterzimmer eines viktorianischen Pubs; auch Mini-Opern. INSIDER TIPP Man sitzt für kleines Geld (£ 15) hautnah zu den Sängern. *115 Upper Street | Tel. www.kingsheadtheatre.com | U-Bahn Northern: Angel*

Zur Götterdämmerung in die English National Opera

ROYAL OPERA HOUSE
(138 A5) (*🕮 K5–6*)
Weltberühmtes Opernhaus und Ballett. Die schön restaurierte *Paul Hamlyn Hall* früher*(Floral Hall)* ist öffentlich zugänglich *(Mo–Fr 10–15.30 Uhr)*. Für jede Vorstellung gibt's 67 *day seats* (Verkauf ab 10 Uhr ein Ticket pro Person) oder INSIDER TIPP *stand-by-tickets* zum halben Preis (vier Stunden vor Beginn). Bei der Backstage-Tour (anrufen) blicken Sie hin-

ter die Kulissen. *£ 8–250 | Bow Street | Tel. 020 73 04 40 00 | www.roh.org.uk | U-Bahn Piccadilly: Covent Garden*

PUBS

BLACK FRIAR ★ ● (139 D6) (*M6*)
Der schönste Arts & Crafts-Jugendstil-Pub in London. Über den Eingang wacht die Galionsfigur eines Mönchs, innen trinkt eine gemischte Klientel zwischen Bronzereliefs und Marmor. Sind Sie unsicher bei den Ales? „Sip before you sup": ein kostenloser Probeschluck. Dazu Pub-Essen, z. B. *sausage and mash. Tgl. | 174 Queen Victoria Street | Tel. 020 72 36 54 74 | U-Bahn Circle, District: Blackfriars*

INSIDER TIPP **BULL AND LAST** (0) (*0*)
Praktisch für die Stärkung nach dem Hampstead-Heath-Spaziergang: Country-Style-Gemütlichkeit und neue rustikale Küche, z. B. *scotch egg* (hartgekochtes Ei in Wurstbrät). *168 Highgate Road | Tel. 020 72 67 36 41 | www.thebullandlast.co.uk | U-Bahn Northern: Kentish Town*

THE DOVE ★ ● (0) (*0*)
400 Jahre alter, wunderbar atmosphärischer Pub. Der Wintergarten über der Terrasse ist nicht nur für das Oxford-Cambridge-Bootsrennen im März ein idealer Aussichtspunkt. *19 Upper Mall | Tel. 020 87 48 94 74 | dovehammersmith.co.uk | U-Bahn Hammersmith & City: Hammersmith, District: Ravenscourt Park*

THE GEORGE INN (147 F2) (*O7*)
Altehrwürdiger Pub von 1676 versteckt in einem Innenhof. Diente früher als Postkutschenstation. Hier amüsierten sich schon so berühmte Gäste wie Dickens oder Shakespeare. *77 Borough High Street | George Inn Yard | Tel. 020 74 07 20 56 | U-Bahn Northern: Borough*

THE PRINCESS (140 A2) (*O3*)
Stilvoller Gastropub mit mediterraner Küche (im Obergeschoss) und herzhaften Snacks (unten) zwischen City und Shoreditch. *76 Paul Street | Tel. 020 77 29 92 70 | www.theprincessofshoreditch.com | U-Bahn Northern: Old Street*

Traditionsreicher Pub in opulentem Dekor: Black Friar

RED LION (145 E1) *(📖 J6)*
Freundliches Ambiente, gemischte Klientel im viktorianischen Gin-Palast im schicken St James. *So geschl. | 2 Duke of York Street | Tel. 020 73 21 07 82 | redlionmayfair.co.uk | U-Bahn Circle, District: Piccadilly Circus, St James's Park*

THE SALISBURY (138 A6) *(📖 K6)*
Einer der schönsten viktorianischen „Gin-Paläste" der Stadt – überall Mahagoniholz und Glasgravuren. Zentral für die West-End-Theater. *90 St Martin's Lane | Tel. 020 78 36 58 63 | U-Bahn Northern, Piccadilly: Leicester Square*

THEATER & TANZTHEATER

DONMAR WAREHOUSE
(138 A5) *(📖 K5)*
Rising Star der Londoner Theaterszene, mit dem einen oder anderen Hollywood-Star auf der Bühne. *41 Earlham Street | Tel. 0844 8 71 76 24 (*) | www.donmarwarehouse.com | U-Bahn Northern, Piccadilly: Leicester Square*

NATIONAL THEATRE (146 C1) *(📖 L6–7)*
Großbitanniens renommiertes Nationaltheater vereint drei Häuser *(Cottesloe, Lyttleton, Olivier)* für klassische und zeitgenössische Stücke. *Tickets ab £ 15 | South Bank | Tel. 020 74 52 30 00 | www.nationaltheatre.org.uk | U-Bahn Waterloo*

SADLER'S WELLS THEATRE
(139 D2) *(📖 M2–3)*
Im führenden Tanztheater des Landes können Sie die besten Compagnien in Aktion erleben. *£ 12–49 | Rosebery Av. | Tel. 0844 4 12 43 00 (*) | www.sadlerswells.com | U-Bahn Northern: Angel*

SOHO THEATRE (137 F5) *(📖 J5)*
Erfolgsstory der Londoner Theaterszene, mit gutem Mix von neuen englischen Stücken, Importen und Comedy. *£ 12–20 | 21 Dean Street | Tel. 020 74 78 01 00 | www.sohotheatre.com | U-Bahn Central, Northern: Tottenham Court Road*

WEINBARS

BEDFORD & STRAND (138 A6) *(📖 K6)*
Angesagte Weinbar im nostalgisch-edwardianischen Stil. Sherry aus Andalusien. *So. geschl. | 1a Bedford Street | Tel. 020 78 36 30 33 | www.bedford-strand.com | U-Bahn Charing Cross*

PEPITO (138 A–B1) *(📖 K2)*
Londons erste Sherrybar. Original andalusischer Fliesenboden, uriges Bodega-Ambiente mit Stehtischen aus Fässern, leckere Tapas. *Tgl. | 3 Varnishers Yard | Tel. 020 78 41 73 30 | www.camino.uk.com/barpepito | U-Bahn King's Cross*

TERROIRS (138 A6) *(📖 K6)*
Ungewöhnliche Weine kleiner Produzenten und eine Käseauswahl, so französisch wie die freundliche Bedienung. *Mo–Sa 12–23 Uhr | 5 William IV Street | Tel. 020 70 36 06 60 | www.terroirswinebar.com | U-Bahn Bakerloo, Northern: Charing Cross*

24-HOUR-LONDON

BRICK LANE BEIGEL BAKE
(140 C3) *(📖 Q3)*
Diese Bäckerei ist eine Institution. Günstige Bagels mit Lachs, Frischkäse, Salzbeef. Stehtheke. *Tgl. 24 Std. | 159 Brick Lane | U-Bahn Overground: Shoreditch*

TINSELTOWN (139 D4) *(📖 M4)*
Während London schläft, checken Sie in dem American Diner Ihre Mails. *Mo–Sa 12–4, So bis 3 Uhr | 44–46 St John Street | Tel. 020 76 89 24 24 | www.tinseltown.co.uk | U-Bahn Circle, Hammersmith & City, Metropolitan: Farringdon*

ÜBERNACHTEN

In London haben nicht nur schicke Designerhotels und alteingesessene Luxusherbergen ihren Preis, Hotels aller Preisklassen sind unter den teuersten Europas. Allerdings gehen die Preise *(room rates* oder tariffs) am Wochenende häufig runter.

Die Hotelbranche hat in den letzten Jahren unter niedrigen Belegungsquoten gelitten; fragen Sie also ruhig nach: „Is this your best rate?" Und gucken Sie nach Online-Sonderangeboten, *special offers.* Achtung: Hotelzimmerpreise der oberen Kategorien werden meist ohne Mehrwertsteuer (VAT, 17,5 Prozent) und ohne Frühstück angegeben! Ein *single* ist ein Einzelzimmer, ein *double* ein Doppelzimmer, ein *twin* ein Doppelzimmer mit zwei Einzelbetten. Einzelbelegung, *single occupancy,* kostet etwa zwei Drittel des Doppelzimmerpreises. Für Kleingruppen oder Familien werden oft günstige Mehrbettzimmer angeboten. *En-suite* bedeutet Privatbadezimmer. Bed & Breakfast, die Kombination von einem schlichten Bett und Frühstück, ist praktisch eine britische Erfindung. Meist müssen Sie bar zahlen, der Preis beinhaltet VAT und Frühstück. Im Mittelklassebereich ist die Grenze zwischen Hotels und B & B fließend, bei beiden bewegt sich das Einrichtungsdesign langsam weg von Chintzgardinen und Blümchenbordüren. Statt des *Full English Breakfast* mit Eiern, Würstchen und Bacon wird zunehmend ein *Continental Breakfast* mit Müsli, Joghurt, Brot, Marmelade angeboten. Bei der Buchung eines Zimmers muss

 Bild: Hotel Savoy

Mit die wichtigste Entscheidung: Wo übernachten? Hier eine kleine Auswahl an Hotels, B & Bs, Apartments und Hostels

meist eine Anzahlung per Kreditkarte geleistet werden. Der kostenlose *Visit-London*-Zimmervermittlungsservice gibt eine Preisgarantie für seine über 250 Hotels *(www.visitlondonoffers.com | Tel. 01904 717384 (*))*. Eine gute Website mit ausgewählten Hotels und B & Bs ist *www.sawdays.co.uk*. Die *London-Bed-&-Breakfast*-Agentur sucht Ihnen ein handverlesenes Zimmer, wie z. B. ein ruhiges Domizil in Westlondon, wo Ihnen die Kunstfreundin Nina ein gesundes Frühstück serviert und Ihnen Tipps für die nähere Umgebung gibt. Immer mehr B & Bs bieten auch ein günstiges Dinner an *(Vertretung in Deutschland: Tel. 06251 702822 | www.bed-breakfast.de)*. *At Home in London (Tel. 020 87482701 | www.athomeinlondon.co.uk)* vermittelt Privatzimmer, die man online sehr bequem nach zentraler Lage bzw. U-Bahnstationen wählen kann. Für den schmalen Geldbeutel ist *www.budgetplaces.com* hilfreich bei der Suche nach günstigen Zimmern. Buchung auch über eine deutsche Telefonhotline möglich.

Wohnen am Bermondsey Square – modern, freundlich, trendy

APARTMENTS

ASTONS APARTMENTS

(143 E5) (*🕮 C9*)

Zentrale Maisonettewohnungen für zwei Personen mit Küche (£ 145) sowie Luxusapartments (größtes Viererapartment: £ 230) in einer ruhigen Wohnstraße in South Kensington. *53 Ap. | 31 Rosary Gardens | Tel. 0845 1542515 (*) | www.astons-apartments.com | U-Bahn Circle, District, Piccadilly: Gloucester Road |* €€

CASTLETOWN HOUSE

(142 A6) (*🕮 A10*)

Familiengeführtes Haus mit fünf Apartments unterschiedlicher Größe in West-London, vom Studio für zwei bis zur Drei-Zimmer-Wohnung für 6 Personen; alle mit Bad, Küche, WLAN, TV, teilweise mit Waschmaschine. *11 Castletown Road | Tel. 020 73869423 | www.castletownhouse.co.uk | U-Bahn District, Piccadilly: West Kensington, Barons Court |* €€

23 GREENGARDEN HOUSE

(136 C5) (*🕮 G5*)

Apartments (rustikaler Landhausstil oder modern) am autofreien St Christopher's Place, wenige Meter von Oxford Street. Broadband-Internet/WLAN, DVD. *23 Ap. | £ 260–460 | St Christopher's Place | Tel. 020 79359191 | www.greengardenhouse.com | U-Bahn Central, Jubilee: Bond Street |* €€€

BED & BREAKFAST

INSIDER TIPP B & B BELGRAVIA

(145 D4) (*🕮 G9*)

Schönes B & B im schicken Belgravia. 17 Zimmer glänzen nach dem Umbau in modernem Design, ab £ 140; morgens kommt Biofrühstück auf den Tisch; Gute Lage. Für den längeren Aufenthalt: 9 Studios mit Küche ab £ 99 *(82 Ebury Street). 64–66 Ebury Street | Tel. 020 72598570 | www.bb-belgravia.com | U-Bahn Circle, District: Victoria*

THE COACHHOUSE (0) (*0*)
Gediegener Country-Charme, eine halbe Stunde von der Innenstadt entfernt. Sollte das schöne Kutschen-Cottage belegt sein – es ist sehr populär, und Sie haben das Cottage immer für sich allein – bieten Ex-Offizier Harley und seine Frau Meena auch Privatwohnungen an. Das Motto immer „Live like a local". *1 Ap. | 2 Tunley Road | Tel. 020 81338332 | www.coachhouse.chslondon.com | U-Bahn Northern: Balham*

HAMPSTEAD VILLAGE GUESTHOUSE (0) (*0*)
Sympathisches B & B im grünen Hampstead, nur 20 Minuten vom Zentrum entfernt. Flexible Frühstücksarrangements, von 8 Uhr (Sa/So 9 Uhr) bis spät vormittags, im Sommer im Garten. *9 Zi. (En-suite-DZ £ 180) plus 1 Gartenwohnung mit Küche (5-Pers.-Belegung: £ 200 ohne Frühstück) | 2 Kemplay Road | Tel. 020 74358679 | www.hampsteadguesthouse.com | U-Bahn Northern: Hampstead*

MARBLE ARCH INN (144 B5) (*F5*)
B & B zentral gelegen (nah Hyde Park und Oxford Street); 29 einfache kleine Zimmer, auch Familienzimmer (für bis zu 6 Pers.) möglich; DZ ab £ 95 (ohne Frühstück). *49–50 Upper Berkeley Street | Tel. 020 77237888 | www.marblearch-inn.co.uk | U-Bahn Central: Marble Arch*

113 PEPYS ROAD (0) (*0*)
East meets West in Süd-London. Bambusjalousien, Kimonos für die Gäste sowie chinesisches Porzellan der drei Zimmer spiegeln die Reisen der englisch-chinesischen Besitzerin. Probieren Sie Annes orientalisches Frühstück oder Dinner (£ 37, nur auf Bestellung). Persönlicher Touch, netter Garten. DZ £ 110. *New Cross Gate | Tel. 020 76391060 | www.pepysroad.com | U-Bahn Overground: New Cross Gate*

HOTELS €€€

BERMONDSEY SQUARE
(148 B3) (*P8*)
Superfreundlich und trendig am Bermondsey Square. Eine Suite im Obergeschoss hat Hängematten, Suite „Lucy" einen INSIDER TIPP Hot Tub (Whirlpool) auf der Dachterrasse – mit Superblick! Guter Standort zum Erkunden der Themse-Südseite: Tate Modern, The Shard, Shakespeare's Globe, Borough Market. In der coolen Bermondsey Street kann man shoppen, am Wochenende im *Village East* brunchen oder im *214 Bermondsey* Cocktails schlürfen. *79 Zi. | Tower Bridge Road | Tel. 020 73782450 | www.bermondseysquarehotel.co.uk | U-Bahn London Bridge*

MARCO POLO HIGHLIGHTS

★ **Hazlitt's**
Altmodischer Charme mit literarischen Connections → S. 96

★ **Church Street Hotel**
Trendig, aber nicht überkandidelt in Camberwell → S. 96

★ **The Fielding Hotel**
Zentraler geht's nicht → S. 97

★ **The Jenkins Hotel**
Good Old English Hotel in Bloomsbury → S. 97

★ **The Savoy**
Neu eröffnete Legende → S. 98

★ **The Ritz**
Tradition, Luxus, Stil → S. 98

51 BUCKINGHAM GATE
(145 E3) (*🕮 H–J8*)
Yes! Ein kinderfreundliches Luxushotel! 82 Suiten und Apartments, mit Babysitting-Service, Mini-Bademänteln und -Slippers, Burts-Bees-Biokosmetik, Wellness-Spa. *51 Buckingham Gate | Tel. 020 77 69 77 66 | www.51-buckinghamgate.com | U-Bahn Victoria*

DOUBLETREE BY HILTON HOTEL LONDON – WESTMINSTER
(146 A4) (*🕮 K9*)
Das preisgekrönte Hotel liegt nahe der *Tate Britain*. Mit zeitgenössischem Design, freundlichem Service, viel Liebe zum Detail und einem guten Restaurant. *460 Zi. | 30 John Islip Street | Tel. 020 76 30 10 00 | doubletree3.hilton.com | U-Bahn Victoria: Pimlico*

HAZLITT'S ★ (137 F5) (*🕮 J5*)
Wunderbar altmodisches Literatenhotel im Herzen von Soho. Der Essayist und Kritiker William Hazlitt (1778–1830) lebte und starb hier, der Legende nach an exorbitant hohem Teekonsum. *23 Zi. | 6 Frith Street | Soho Square | Tel. 020 74 34 17 71 | www.hazlittshotel.com | U-Bahn Central, Northern: Tottenham Court Road*

Hazlitt's Hotel in Soho besticht mit stilvollen Zimmern

ONE ALDWYCH HOTEL
(138 B5–6) (*🕮 K–L6*)
5-Sterne-Domizil. Zentral gelegen, viel Komfort, im *Health Club* ein chlorfreies Schwimmbad mit Unterwassermusik. Für die Schönheit: natürliche Pflegeprodukte auf Pflanzenbasis. *105 Zi. und Suiten | 1 Aldwych | Tel. 020 73 00 10 00 | www.onealdwych.com | U-Bahn Piccadilly: Covent Garden*

HOTELS €€

CHURCH STREET HOTEL ★ (0) (*🕮 0*)
Eine mexikanische Farbsymphonie in Südlondon mit coolem Ambiente und einer breiten Auswahl an Zimmertypen mit bunt gekachelten Bädern und L'Occitane-

Kosmetik. Die große INSIDER TIPP gemütliche Gemeinschaftsbar mit Kaffee, Tee und Drinks funktioniert nach dem Vertrauensprinzip. Ohne direkten U-Bahn-Anschluss, deshalb verhältnismäßig günstig! Angesagtes Tapas-Restaurant mit ungewöhnlicher Kirchenoptik. *31 Zi. | 29–33 Camberwell Church Street | Tel. 020 77 03 59 84 | www.churchstreethotel.com | diverse Busse*

CITY (140 C4) *(M Q5)*
Modernes Hotel in einer Verlängerungsstraße der Brick Lane. Großzügig bemessene Räume, auch Dreibett- und Familienzimmer. Online-Buchung günstiger. *110 Zi. | 12 Osborn Street | Tel. 020 72 47 33 13 | www.cityhotellondon.co.uk | U-Bahn District, Hammersmith & City: Aldgate East*

THE FIELDING HOTEL ★
(138 B5) *(M K5)*
Superzentral gelegen fürs West End, dennoch eine ruhige Location in einem Innenhof gegenüber dem Royal Opera House; sehr beliebt bei Schauspielern. Kein Frühstück, aber viele nette Cafés vor der Haustür. ● INSIDER TIPP Gratis Zugang zum benachbarten Spa! *24 Zi. | 4 Broad Court | Tel. 020 78 36 83 05 | www.thefieldinghotel.co.uk | U-Bahn Piccadilly: Covent Garden*

HOXTON HOTEL (140 A2) *(M O–P3)*
Die Lage in Shoreditch, sein zeitgenössisches Design und leichtes Frühstück zeichnen dieses Hotel mit 210 Zi. aus. Recycling und Energieeffizienz stehen u. a. auf der Hotelagenda. Clubber haben's nicht weit ins Bett, und Fr–So wird's billiger. Lassen Sie sich für die günstigsten Angebote auf die Mailinglist setzen. *81 Great Eastern Street | Tel. 020 75 50 10 00 | www.hoxtonhotels.com | U-Bahn Northern: Old Street*

THE JENKINS HOTEL ★
(138 A2) *(M J–K3)*
Sympathisches B & B in Bloomsbury mit 19 individuell gestalteten En-suite-Zimmern. Garten mit Tennisplätzen. Szenen aus dem Agatha-Christie-Poirot-Krimi „Adventure of the Italian Nobleman" wurden hier gedreht. *45 Cartwright Gardens | Tel. 020 73 87 20 67 | www.jenkinshotelbloomsbury.com | U-Bahn Piccadilly: Russell Square*

40 WINKS (141 F3) *(M S4)*
To get your 40 winks heißt „eine Mütze Schlaf bekommen". Dieser durchgestylte Celebrity-Favorit im coolen East End, in dem sich zwei Zimmer ein Bad teilen, ist etwas für aufgeschlossene, designinteressierte Traveller; weit im Voraus buchen! *2 Zi. | 109 Mile End Road | Tel. 020 77 90 02 59 | www.40winks.org | U-Bahn Stepney Green*

LOW BUDG€T

Das *Imperial College London* **(143 E3)** ***(M D8)*** *(Watts Way | Princes Gardens | Tel. 020 75 94 95 07 | www3.imperial.ac.uk/summeraccommodation | U-Bahn Circle, Distict, Piccadilly: South Kensington)* bietet in den Sommer-Semesterferien 500 große, zentrale Zimmer, inkl. Frühstück für £ 49–119.

Für Heathrow- und Gatwick-Flieger interessant: im neuen japanischen Kapselhotel *Yotel* **(0)** ***(M 0)*** *(Tel. 020 71 00 11 00 | www.yotel.com)* kostet die Designer-Standardkabine ab £ 62 (je nach Flughafen), die Premiumkabine £ 85. Auch für vier Stunden buchbar (£ 32/£ 49)!

HOTELS €

ALHAMBRA HOTEL (138 A2) *(K3)*
Wer mit dem Eurostar anreist, läuft wenige Meter vom Bahnhof St Pancras zu dem familiengeführten Domizil. Nah zur British Library und dem British Museum. *52 Zi., ohne Bad günstiger | 17–19 Argyle Street | Tel. 020 78 37 95 75 | www.alhambrahotel.com | U-Bahn Northern, Piccadilly, Victoria, Circle: King's Cross*

IBIS BUDGET WHITECHAPEL
(141 D4) *(Q–R5)*
Preisgünstiges Hotel der bekannten Kette mit kleinen, aber sauberen und funktional eingerichteten Zimmern im kuscheligen Cocoon-Design: warme Farben, sanftes Licht. Kostenloses WLAN. *169 Zi. | 100 Whitechapel Road | Tel. 020 76 55 46 20 | www.accorhotels.com/gb | U-Bahn District, Hammersmith & City: Whitechapel, Aldgate*

LUXUSHOTELS

Renaissance St Pancras
(138 A1) ***(K2)***
Fünfsterne-Marriott-Hotel im Backstein-Türmchenbau überm St Pancras-Eurostar-Bahnhof. Die rot-weiß gebänderte Neugotik ist superromantisch vor dem Hintergrund des sich gentrifizierenden King's-Cross-Viertels. *283 Zi. (£ 299–10 000) | Euston Road | Tel. 020 78 41 35 40 | www.marriott.de | U-Bahn King's Cross, St Pancras*

The Ritz ★ (145 E1) ***(H7)***
Inbegriff Londoner Hoteltradition, mit Blick auf Green Park. Mit Louis-XVI.-Möbeln opulent ausgestattete Zimmer, in den klassischen Ritz-Farbtönen Blau, Pfirsich, Pink, Gelb. Persönlicher Service wird großgeschrieben; hier sind weibliche Gäste noch „Madam", männliche „Sir". *133 Zi. (£ 380–3100) | 150 Piccadilly | Tel. 020 74 93 81 81 | www.theritzlondon.com | U-Bahn Jubilee, Piccadilly, Victoria: Green Park*

The Savoy ★ (138 B6) ***(K6)***
Traditionshaus seit 125 Jahren mit illustren Gästen wie Winston Churchill, Frank Sinatra, Katherine Hepburn. Nach der Renovierung erstrahlt der Klassiker in neuem Glanz. Die grüne Seite des Hotels: Recycling der Küchenwärme, Hoteltransfer mit Hybridauto, Biodinner und Ökotouren durch London. *268 Zi. (ab £ 400) | Strand | Tel. 020 78 36 43 43 | www.fairmont.com/savoy-london | U-Bahn Charing Cross*

The Wellesley (144 C2) ***(F–G8)***
36 luxuriöse Zimmer im Art-déco-Stil warten auf gutbetuchte Gäste, die Lifestyle mögen: italienischer Marmor, Blick auf Hyde Park, exklusives Restaurant, Zigarrenlounge, abends Livemusik in der Jazzlounge. Ab £ 330. *11 Knightsbridge | Tel. 020 72 35 35 35 | www.thewellesley.co.uk | U-Bahn Piccadilly: Knightsbridge*

W Hotel (137 F6) ***(J6)***
2011 eröffnetes, theatralisches Fünfsterne-Modehotel am Leicester Square mit Diskokugeln, Riesenbildschirmen, iPod-Docks, Vibratoren in der Minibar und einem Top-Spa. *192 Zi. (ab £ 340) | 10 Wardour Street | Tel. 020 77 58 10 00 | www.wlondon.co.uk | U-Bahn Northern, Piccadilly: Leicester Square*

LUNA & SIMONE HOTEL
(145 E5) (🕮 *H9–10*)
Sympathisch, sauber, zentral gelegen; gute Anbindung an den öffentlichen Nahverkehr. *36 Zi. | 47 Belgrave Road | Tel. 020 78 34 58 97 | www.lunasimonehotel.com | U-Bahn Circle, District, Victoria: Victoria*

RIDGEMOUNT HOTEL
(137 F3–4) (🕮 *J4*)
Traditioneller Bloomsbury-Familienbetrieb mit Stammkunden. Kleine Zimmer, nur die Hälfte davon mit eigenem Bad (Fünferzimmer £ 165). Garten. *32 Zi. | 65–67 Gower Street | Tel. 020 76 36 11 41 | www.ridgemounthotel.co.uk | U-Bahn Northern: Goodge Street*

RUSHMORE HOTEL (142 C5) (🕮 *B9*)
22 individuell eingerichtete Zimmer mit trompe-l'oeil-Wandgemälden. Frühstücksbüfett im Wintergarten; vegetarische Wünsche werden berücksichtigt. *11 Trebovir Road | Tel. 020 73 70 38 39 | www.rushmore-hotel.co.uk | U-Bahn District, Piccadilly: Earl's Court*

HOSTELS, CAMPING & MORE

BUSH HOUSEBOAT (0) (🕮 *0*)
Originelle und komfortable Selbstversorger-Option: ein Hausboot in West-London, ideal für Kew Gardens und Hampton Court, eine Viertelstunde Zugfahrt zum Zentrum. Sundowner an Deck, Dinner im Steuerhaus. *Nur während der Schulferien | www.bushhouseboat.co.uk | U-Bahn District, Overground: Kew Gardens*

CLINK78 HOSTEL (138 B2) (🕮 *L3*)
Style-Hostel im ehemaligen Gerichtsgebäude. Schlafen in japanisch inspirierten Kapselbetten; Internet. *78 King's Cross Road | Tel. 020 71 83 94 00 | www.clinkhostel.com | U-Bahn King's Cross*

W Hotel: Wo der Luxus wohnt

KEYSTONE HOUSE (138 B1) (🕮 *K2*)
Nettes King's Cross-Hostel mit ca. 140 Betten (ab £ 24, zzgl. Frühstück £ 3,50) und persönlicher Atmosphäre. Extra Frauenschlafsaal. 24-Std.-Rezeption, WLAN, Bar und Dachterrasse. *272–276 Pentonville Road | Tel. 020 78 37 64 44 | www.keystone-house.com | U-Bahn King's Cross, St Pancras*

LEE VALLEY CAMPING & CARAVAN PARK (0) (🕮 *0*)
So sieht *glamping* (Kunstwort aus *glamour* und *camping)* aus: Campingplatz mit beheizten *Cocoon*-Kabinen mit je zwei Feldbetten und elektrischem Licht für £ 35 und Zelt-Stellplätze (£10–16). Im Zentrum sind Sie in einer Stunde. *Meridian Way | Tel. 020 88 03 69 00 | www.visitleevalley.org.uk | U-Bahn Victoria: Tottenham Hale*

ERLEBNISTOUREN

1 LONDON PERFEKT IM ÜBERBLICK

START: ① Simpson's-in-the-Strand ZIEL: ⑫ English National Opera	1 Tag reine Gehzeit 2½ Stunden
Strecke: ➡ 9,8 km	

KOSTEN: Tageskarte für Bus und U-Bahn £ 12, Eintritte £ 70, Essen & Trinken £ 100

MITNEHMEN: Fotoapparat, Krawatte und Sakko

ACHTUNG: Denken Sie daran, Eintrittskarten für ⑫ **English National Opera** vorzubuchen; ebenfalls vorzubuchen ist Teatime in ⑩ **The Ritz.** Achten Sie auf den richtigen Dresscode mit Krawatte und Sakko für den Herrn.

Die letzte U-Bahn fährt wochentags um Mitternacht. Täglich um 11 Uhr (So 10 Uhr) ist Wachablösung am ③ **Horse Guards Building.**

Städte haben viele Facetten. Wenn Sie Lust haben, diese verschiedenen Gesichter mit all ihren einzigartigen Besonderheiten zu entdecken, wenn Sie jenseits bekannter Pfade geführt oder zu grünen Oasen, ausgewählten Restaurants oder typischen Aktivitäten geleitet werden wollen, dann sind diese maßgeschneiderten Erlebnistouren genau das Richtige für Sie. Machen Sie sich auf den Weg und folgen Sie den Spuren der MARCO POLO Autoren – ganz bequem und mit der digitalen Routenführung, die Sie sich über den QR-Code auf S. 2/3 oder die URL in der Fußzeile zu jeder Tour downloaden können.

Die schönsten Entdeckungen Londons und die bedeutendsten Sehenswürdigkeiten führen Sie auf einer Tagestour mitten durch die Stadt: vom Zentrum mit herausragenden Museen über Parliament, Westminster Abbey bis zum kulturellen Ausklang am Abend. Lernen Sie einige der Highlights dieser Stadt kennen – ganz entspannt an einem Tag.

Beginnen Sie Ihren ersten London-Tag mit einem klassischen britischen Frühstück mit Würstchen, Ei und Bacon im traditionsreichen ❶ **Simpson's-in-the-Strand** → S. 67 direkt neben dem berühmten Savoy-Hotel.

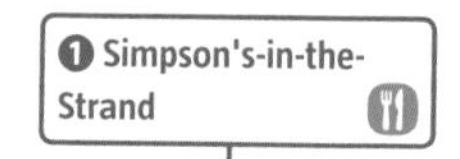

Bild: Westminster Bridge, Parliament

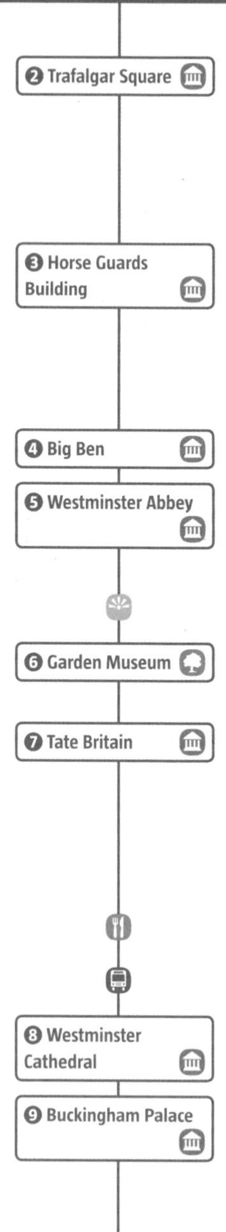

09:00 Gestärkt spazieren Sie **über The Strand Richtung Westen** zum ❷ **Trafalgar Square → S. 44**, dem geografischen Zentrum der Stadt, erkennbar an der hochaufragenden **Nelson-Säule**. Nehmen Sie sich die Zeit für einen Besuch der **National Gallery → S. 43**. **Entlang Whitehall** gelangen Sie zum Korridor der Macht.

11:00 Richten Sie es sich so ein, dass Sie um 11 Uhr (So 10 Uhr) zur Wachablösung am ❸ **Horse Guards Building → S. 36** bereitstehen. Aber den ganzen Tag über nehmen es die bärenfellbemützten Kavalleriesoldaten mit stoischer Gelassenheit hin, für Tausende von Schnappschüssen herhalten zu müssen; die mutigsten Touristen gehen so weit, die Pferde zu tätscheln! Danach **passieren Sie Downing Street Nr. 10 und gehen auf der Whitehall** zu ❹ **Big Ben → S. 36**, dem Glockenturm der **Houses of Parliament → S. 36**, der „Urmutter" aller Parlamente, und zur ❺ **Westminster Abbey → S. 37**. **Nach Überquerung der Westminster Bridge**, die 1802 den Romantik-Dichter William Wordsworth zu einem berühmten Sonett inspirierte, machen Sie einen **Spaziergang am südlichen Themseufer entlang** ; von hier haben Sie einzigartige Blicke auf das imposant-goldene Ensemble der Houses of Parliament gegenüber. Inspizieren Sie den Garten des ❻ **Garden Museum → S. 54**, bevor Sie die **Lambeth Bridge überqueren**.

13:00 **Über Millbank** gelangen Sie zur ❼ **Tate Britain → S. 37**, dem Tempel der britischen Kunst. Nehmen Sie sich Zeit für eine Rundreise durch fünfhundert Jahre britischer Kunst vom Feinsten: von William Blake über William Turner und Francis Bacon bis hin zu Henry Moore und Lucian Freud. Auf Ihrem Kunst-Rundgang genießen Sie ein Mittagsmenü im traditionsreichen und malerischen Restaurant **Rex Whistler** *(Tel. 020 78 87 88 25 | www.tate.org.uk | €€)*. Dann geht's **per Bus (Nr. 2, 36, 185, 436 von der Vauxhall Bridge Road) zur Victoria Station. Rechts an der Victoria Street** liegt etwas zurückversetzt die ungewöhnliche, erst 100 Jahre alte ❽ **Westminster Cathedral → S. 38** mit der rot-weiß gebänderten Fassade. **Durch die Palace Street** gelangen Sie zum ❾ **Buckingham Palace → S. 34**, der Stadtresidenz der Queen. Im August und September, wenn die Hausherrin auf dem Lande weilt, können Sie ausgewählte Räume des Palasts besichtigen.

Werfen Sie einen Blick The Mall hinunter, der Prachtstraße der Hauptstadt, Richtung Admirality

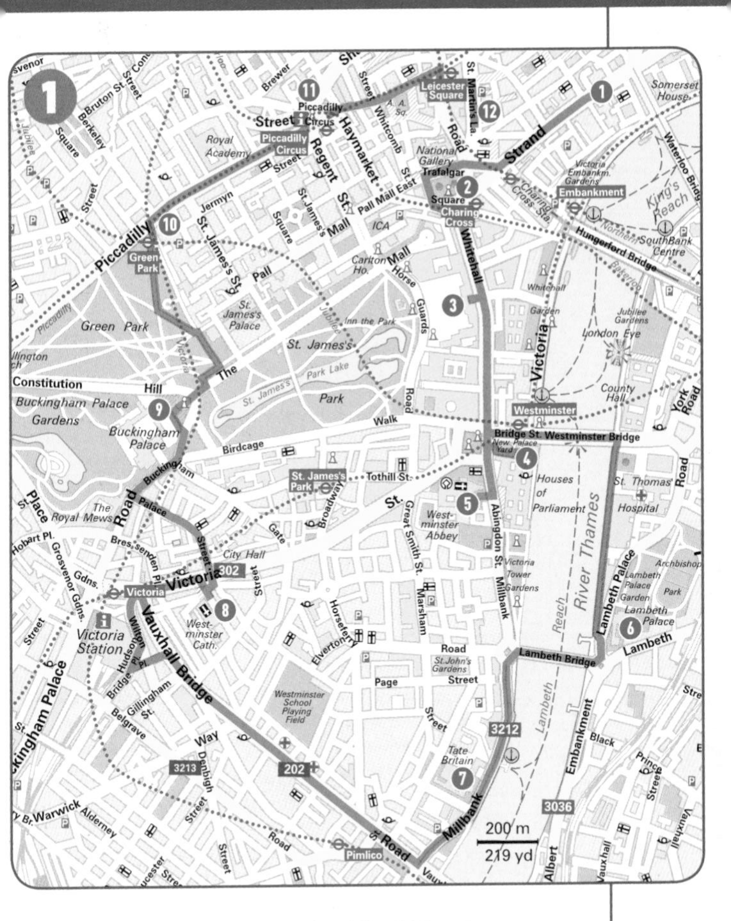

Arch, bevor Sie **durch den Green Park auf die gleichnamige U-Bahn-Station zugehen** und für den perfekten Nachmittagstee mit *scones* und Sandwiches ins legendäre Hotel ⑩ **The Ritz → S. 65** einkehren – nur mit Vorabbuchung und mit dem geforderten Krawatte-und-Blazer-Ensemble. Vergessen? Dann gehen Sie einfach weiter zu Fortnum & Mason → S. 77 und genießen hier den Nachmittagstee.

19:00 Nach der Entspannen brechen Sie zum ⑪ **Piccadilly Circus → S. 44** auf. Hier sind Sie mittendrin im Theaterdistrikt West End mit einer großen Auswahl an Restaurants, Theatern und Kinos sowie Pubs für den Absacker danach. **Mit der Picadilly Line** gelangen Sie von hier

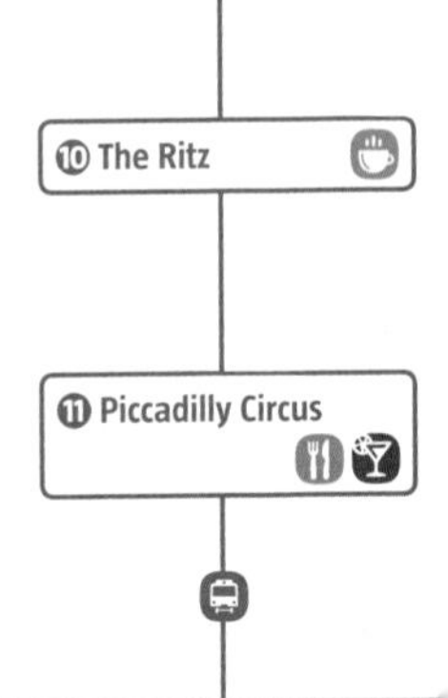

⓬ English National Opera

zum Leicester Square und können eine Vorstellung (vorbuchen nicht vergessen!) der ⓬ **English National Opera** → **S. 89** genießen.

2 DURCHS EAST END: CURRY, VINTAGE UND GRAFFITI

START: ❶ **Liverpool Street Station**
ZIEL: ⓭ **Old Street**

½ Tag
reine Gehzeit
1½ Stunden

Strecke:
4,5 km

KOSTEN: Eintritte £ 25, Essen & Trinken £ 30

ACHTUNG: Denken Sie daran, im ❷ **Dennis Severs House** vorzubuchen, wenn Sie Mo- oder Mi-abends dorthin gehen, dann besonders stimmungsvoll. Die letzte U-Bahn fährt wochentags um Mitternacht.

Die Ausläufer der City of London mit ihren glitzernden Bürotürmen gehen über ins alte East End, wo zu viktorianischen Zeiten der Prostituiertenmörder Jack the Ripper sein Unwesen trieb. In den letzten Jahren haben sich hippe Bars und Clubs sowie eine kreative Szene mit Street Artists eingenistet.

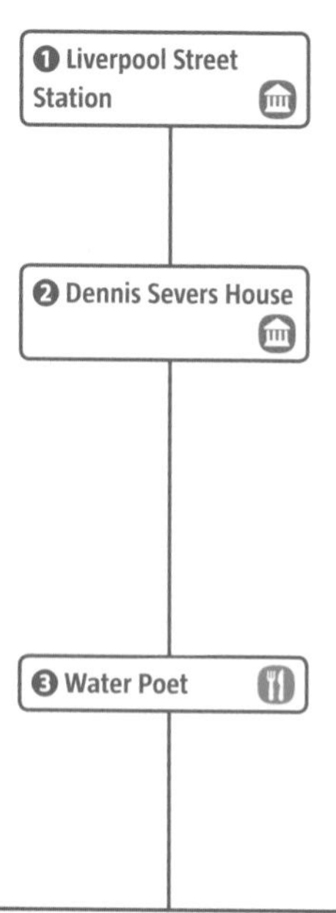

12:00 Starten Sie an der ❶ **Liverpool Street Station**, einer lichten Kathedrale des goldenen Railway-Zeitalters mit viktorianischen gusseisernen Dachträgern und Palmensäulen. **Nehmen Sie den Ausgang Bishopsgate und gehen Sie links gesäumt von postmoderner Büroarchitektur Bishopsgate entlang. Sie biegen rechts in die Folgate Street** ein und gehen zum ❷ **Dennis Severs House** *(So 12–16, Mo 12–14, 17–21, Mi 17–21 Uhr | tagsüber £ 10, abends (vorbuchen) £ 14 | 18 Folgate Street | Tel. 020 72 47 40 13 | www.dennisseversh ouse.co.uk)*, dem 300 Jahre alten Haus einer hugenottischen Seidenweberfamilie. Der Besuch ist ein besonders Erlebnis: Sie unternehmen eine stille Reise in die Vergangenheit und könnten doch vermeintlich der Weberfamilie begegnen, die Sie nicht sehen, aber hören und riechen, denn es stehen ein halb verspeistes Essen und Kerzen auf dem Tisch, im Kamin brennt das Feuer. Gegenüber bietet sich der Pub ❸ **Water Poet** *(tgl. 12–23 Uhr | Tel. 020 74 26 04 95 | www.waterpoet.co.uk | €)* für eine Pause an. **Danach biegen Sie rechts in die belebte Commercial Street ein.** Gegenüber den sympathischen Läden, Pubs und Cafés um **Spitalfields Mar-**

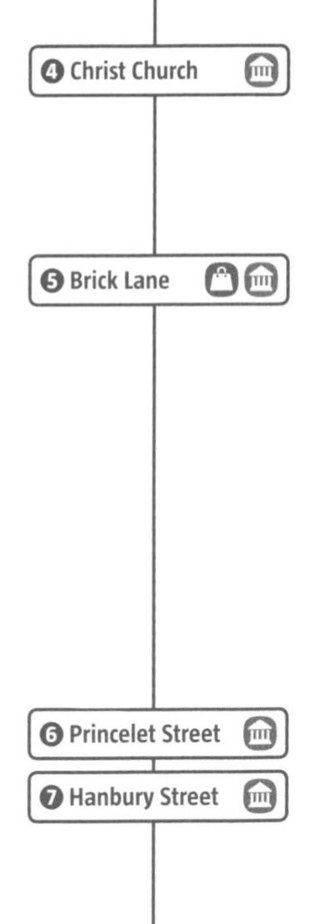

ket → S. 79 erhebt sich **an der Kreuzung mit der Fournier Street** ❹ **Christ Church** *(Mo–Fr 11–16, So 13–16 Uhr | www.christchurchspitalfields.org)* von 1729, das Meisterstück von Nicholas Hawksmoor. Der genialste Schüler von Christopher Wren war eine rätselhafte Persönlichkeit mit einer Vorliebe für heidnische Symbole, Pyramiden und Obelisken. **Über die Fournier Street** kommen Sie auf die berühmte ❺ **Brick Lane**. Im 18. Jh. lebten hier hugenottische Seidenweber, dann siedelten sich jüdische und später bengalische Textilarbeiter an. Heute drängen sich in „Banglatown" Curryrestaurants, Sari-Läden sowie bengalische Süßigkeiten-Shops. Etwa 60 000 Bangladeshis leben in dieser Gegend, oft sind sie noch in der Textilindustrie beschäftigt. Nr. 59, an der **Ecke Fournier Street/Brick Lane**, ist eines der symbolträchtigsten Gebäude des East Ends: früher hugenottische Kirche, dann methodistische Kapelle, Synagoge und seit Mitte der 1970er-Jahre die **Brick-Lane-Moschee**. Auffällig ist der hohe Anteil an Männern in der Straße; in der Bangladeshi-Community sind viele Frauen ohne Sprachkenntnisse isoliert. INSIDER TIPP Graffiti- und Streetart-Kunst können Sie links in der ❻ **Princelet Street** und rechts in der ❼ **Hanbury Street** entdecken. Schauen Sie genau hin, neben der plakativen Malerei gibt es kleine Wandinstallationen, schnelllebig und nicht immer direkt zu finden. Vielleicht ist etwas von Banksy dabei?

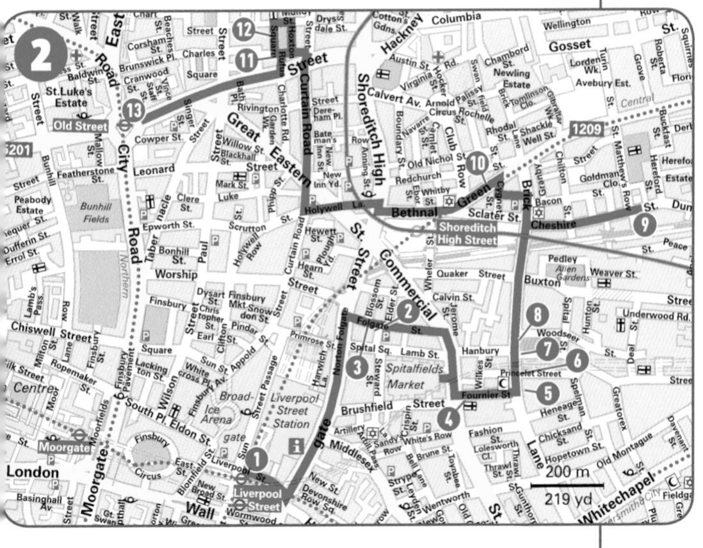

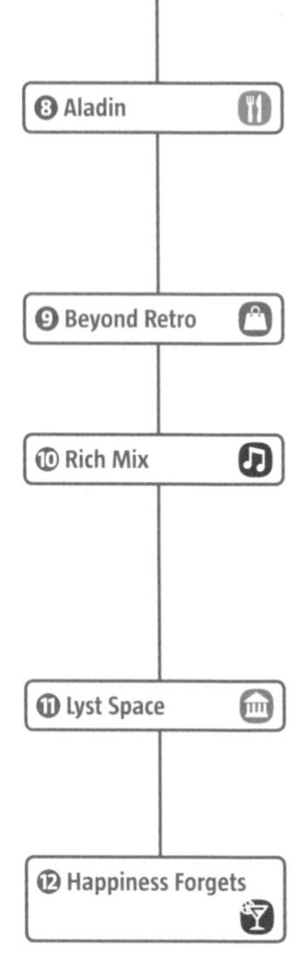

15:00 Wie wäre es jetzt mit einer Pause? **Zurück auf der Brick Lane** probieren Sie ein Curry oder Balti-Gericht aus der Kaschmirgegend im 8 **Aladin** *(Mo–Do 12–24, Fr/Sa 12–1, So 12–22.30 Uhr | 132 Brick Lane | Tel. 020 72 47 82 10 | aladinbricklane.net | €)*. Nun wird's hipper rund ums Epizentrum der **Old Truman Brewery** *(www.trumanbrewery.com)*, mit trendigen Läden und Bars. Stöbern Sie in den Designerboutiquen und dem Vintage-Klamottentempel 9 **Beyond Retro** *(www.beyondretro.com)* **rechts in der Cheshire Street (Nr. 110–112)**. An bemalten Hausfassaden und kleinen Vintageläden vorbei **gehen Sie in die Bethnal Green Road** und gelangen zum Kulturzentrum 10 **Rich Mix** *(35–47 Bethnal Green Road | www.richmix.org.uk)*, das die multikulturellen Vibes der Gegend in Film, Kunst und Musik widerspiegelt. **Überqueren Sie die Shoreditch High Street und gehen Sie über die Holywell Lane und Great Eastern Street, bevor Sie rechts in die Curtain Road einbiegen. Sie überqueren die Old Street; linker Hand geht's zur Grünfläche** des **Hoxton Square** und zum 11 **Lyst Space** *(Öffnungszeiten je nach Ausstellung)*. Das Gebäude der ehemaligen White Cube Gallery wird für Fashiondesign und temporäre Ausstellungen genutzt, u. a. mit digitaler Kunst, die nur per Smartphone sichtbar wird.

Genießen Sie die lockere Atmosphäre rund um den kleinen Platz bei einem Cocktail bei 12 **Hap-**

Brick Lane: Hier bestaunen Sie Street Art vom Feinsten

piness Forgets → S. 85. Nach einer angemessenen Entspannungspause **gehen Sie weiter in die Coronet Street und folgen dann rechts der Old Street** zum Endpunkt dieses Spaziergangs, der U-Bahnstation ⑬ **Old Street**, die der Mittelpunkt des neuen „Silicon Roundabout"-Kreisverkehrs mit vielen neuen Technologie-Start-up-Unternehmen ist.

⑬ Old Street

3 AN UND AUF DER THEMSE: KULTUR, KATHEDRALEN UND KULINARISCHES

START: ① **Westminster Station** **ZIEL:** ① **Westminster Station**	1 Tag reine Gehzeit 2 ½ Stunden
Strecke: **10 km**	

KOSTEN: Bootstour **City Cruises** £ 8,80 (einfache Fahrt), Eintritte £ 50, Essen & Trinken £ 8
MITNEHMEN: Fotoapparat

ACHTUNG: Das letzte Boot fährt um 18.10 Uhr (im Sommer auch später), Online-Buchung fürs **London Aquarium** sind günstiger.

Einer der schönsten Spaziergänge Londons führt von West nach Ost und erschließt das Uferpanorama. London nahm seinen Anfang am Nordufer der Themse; das Südufer blieb der schäbigere Verwandte, bis der Umbau eines Kraftwerks in den Tate-Modern-Kunsttempel ihm neue Impulse gab.

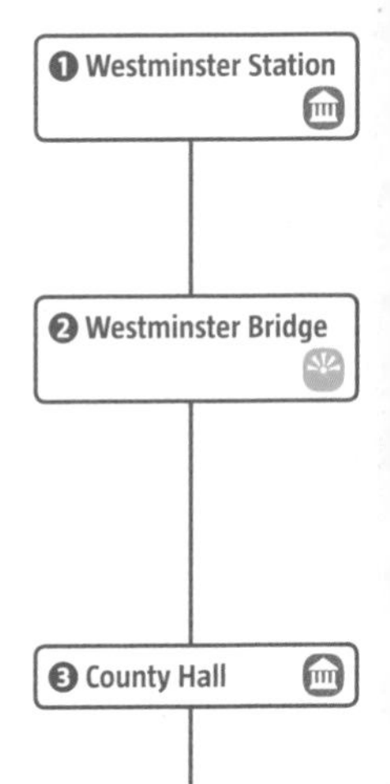

10:00 Beginnen Sie bei der ① **Westminster Station**. Das ungewöhnliche Gebäude mit der vertikalen schwarzen Bänderung zu Ihrer Linken steht in seltsamem Kontrast zum Ensemble der Houses of Parliament. Im **Portcullis House** (1999) haben Parlamentsabgeordnete ihre Büros: ökologisch wertvoll wegen energiesparender Bauweise, ästhetisch eher fragwürdig. Von der ② **Westminster Bridge** aus haben Sie einen weiten Blick auf die Themse mit toller Aussicht auf die Norman Shaw Buildings am Victoria Embankment, ein backsteinrotes und weiß gebändertes Gebäude mit Türmchen, bis 1967 das Hauptquartier von New Scotland Yard, der Polizeiabteilung für die härtesten Fälle. **Überqueren Sie die Brücke und gehen Sie links die Treppe hinunter zum Südufer.** Der massive Komplex aus der ersten Hälfte des 20. Jhs., ③ **County Hall**, beherbergte früher die Londoner Stadtregierung, heute Ausstel-

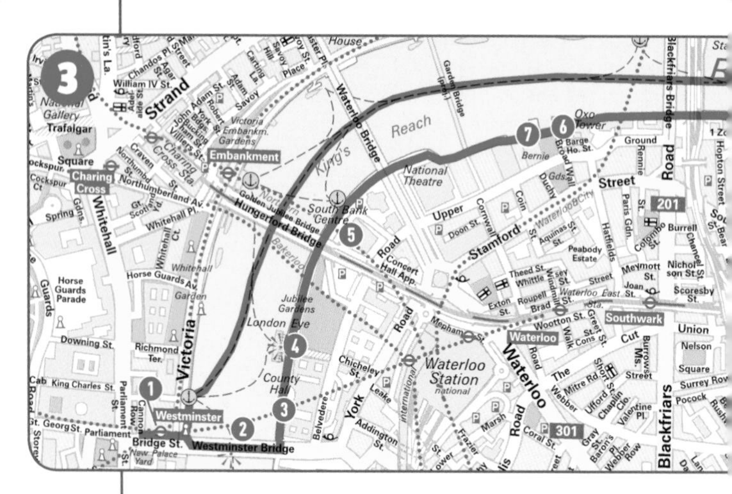

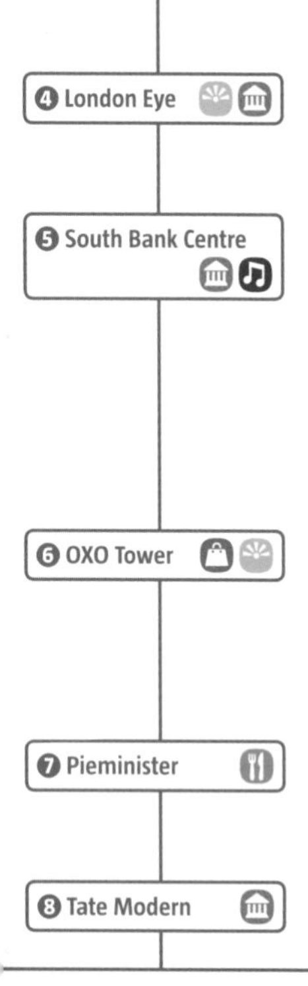

lungsstätten, die Sie besuchen sollten: das **London Aquarium** *(tgl. 10–19 Uhr, letzter Eintritt 18 Uhr | www.visitsealife.com)*, u. a. mit Fischen aus der Themse, und **The London Dungeon** *(www.thedungeons.com/london)*. Unter den riesigen Vertäuungen des ❹ **London Eye** → **S. 54** sieht man die Kapseln des Riesenrads vorüberziehen. Steigen Sie ein! Nach der Fahrt geht's **weiter am Ufer entlang. Gegenüber der Golden Jubilee Bridge** steht das Kulturzentrum ❺ **South Bank Centre**, eine aufgebrezelte Betonburg aus den 1950er-Jahren, mit Royal Festival Hall, Nationaltheater, Filmtheater, Hayward Gallery. Im Sommer erleben Sie draußen Unterhaltungskünstler und Gratisevents (z. B. Comedy, Jazz, Zirkus). Am Nordufer sehen Sie Londons ältestes Baudenkmal stehen, Cleopatra's Needle (ca. 1450 v. Chr.). 1878 wurde der Granitobelisk – der mit Kleopatra außer seiner ägyptischen Herkunft nichts zu tun hat – an der Themse aufgestellt. **Es geht weiter am Ufer entlang**, der Schriftzug des ❻ **OXO Tower** leuchtet abends neonrot. Mit dem Trick, ihr Logo in den Backsteinturm zu stanzen, umging die Suppenwürfelfirma ein Werbeverbot. Die Aussichtsplattform im 8. Stock ist frei zugänglich, und **OXO Tower Wharf** bietet interessante Läden. **In Gabriel's Wharf** probieren Sie eine typisch INSIDER TIPP englische Pastete bei ❼ **Pieminister** *(tgl. 10–17 Uhr | Tel. 020 79 28 57 55 | www.pieminister.co.uk | €)*.

13:00 Am Ufer bewegt sich ein stetiger Menschenstrom auf den mächtigen Backsteinturm der ❽ **Tate**

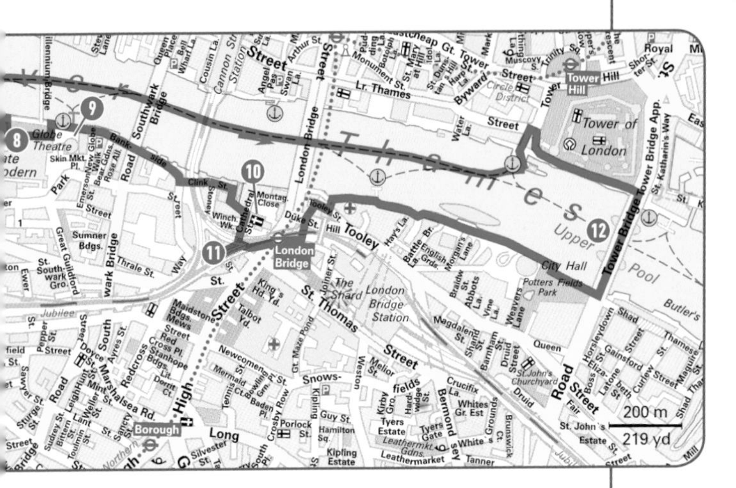

Modern → S. 56 zu. Lassen Sie sich mit hineintreiben! Ein paar Schritte weiter wurde das Fachwerkachteck von ⑨ **Shakespeare's Globe Theatre** → **S. 55** nur 180 m von seinem ursprünglichen Standort detailgetreu wiederaufgebaut. Shakespeare kannte die Gegend mit den Theatern, dem Bärenkampf-Ringen, den Bordellen gut. Heute ist das Viertel im Aufschwung. **Gehen Sie rechts in Bank End und durch die Unterführung links in die Clink Street, weiter über die Cathedral Street** zur ⑩ **Southwark Cathedral**. In dieser ältesten gotischen Kirche Londons gedenkt ein Alabastermonument (1912) William Shakespeares, vor einem Buntglasfenster mit Figuren aus seinen Werken. Etwas weiter erreichen Sie den ⑪ **Borough Market** → **S. 78**. Probieren Sie sich durch die Gourmet-Foodstände. Vielleicht begegnen Sie ja Jamie Oliver! Richtung St Thomas Street haben Sie eine gute Aussicht auf das derzeit zweithöchste Gebäude Europas, den von Stararchitekt Renzo Piano entworfenen „Glassplitter" The Shard → S. 56. **Biegen Sie ab Richtung London Bridge und spazieren Sie rechts über die Tooley Street und dann am Themseufer vorbei an der City Hall**, über die ⑫ **Tower Bridge** → **S. 56** ans Nordufer, wo Sie Tickets für die Ausstellungen in den historischen **Maschinenräumen** auf der Südseite erhalten – nicht nur etwas für Technikfans. **Dorthin gelangen Sie über die 42 m hohe Fußgängerbrücke**, Schwindelfreie blicken durch den verglasten Boden auf die Themse, INSIDER TIPP besonders spektakulär, wenn für ein größeres Boot die Brückenteile aufgeklappt werden.

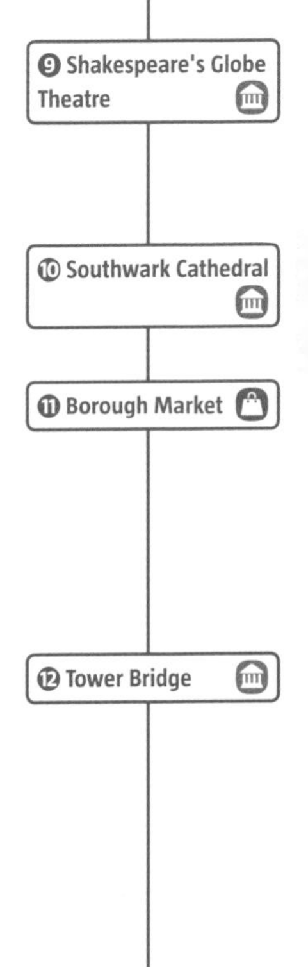

17:00 **Am Nordufer geht's vom Tower Millenium Pier** auf eine Bootsfahrt mit **City Cruises** *(tgl. 10–18 Uhr, im Sommer auch später, Boote alle 30 Min. | Tel. 020 77400400 | www.citycruises.com)* mit tollem Blick auf London. **Über den Westminster Pier** kommen Sie zurück zur **1 Westminster Station**.

4 EIN SPAZIERGANG NICHT NUR FÜR SONNTAGS

START: **1 Westminster Station**
ZIEL: **10 Kensington Palace**

Strecke:
8 km

½ Tag
reine Gehzeit
2½ Stunden

KOSTEN: Bootsfahrt **6 Serpentine-See:** £ 12/Std., £ 10/30 Min., Eintritt **10 Kensington Palace** £ 16,50, Essen & Trinken £ 32

ACHTUNG: Die Tour eignet sich von April bis Oktober, da der Bootsverleih sonst geschlossen ist.

Londons Parks sind beliebt für Picknicks, Jogging und Sonnenbaden. Besonders im Sommer laden die grünen Oasen zu einem ausgiebigen Spaziergang ein, wenn die Rosen blühen oder man auf dem Serpentine-See eine kleine Ruderpartie einlegen kann. Der Spaziergang führt Sie gleich durch vier der Royal Parks im Westen Londons.

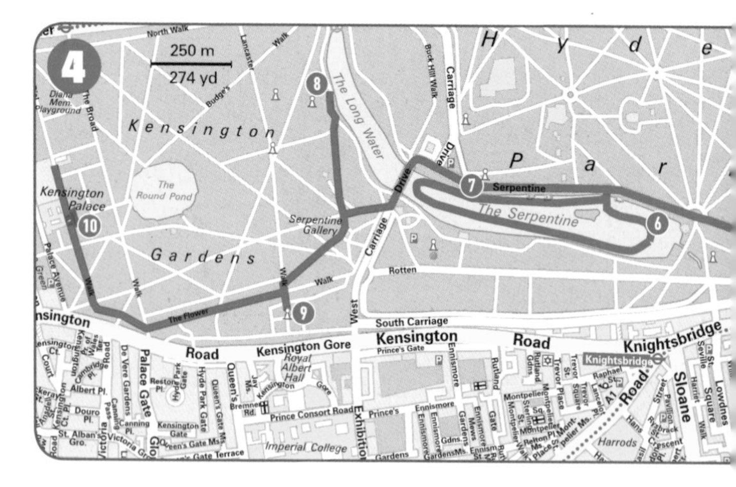

11:00 Von der U-Bahnstation ❶ **Westminster Station gehen Sie rechts in die Bridge Street von der Themse weg. Biegen Sie rechts in die Parliament Street ein und links in die King Charles Street. Wenn Sie die Horse Guards Road überqueren**, betreten Sie den ❷ **St James's Park**. Rechter Hand grüßt über die Baumwipfel die Bronzestatue von der Granitsäule der Duke of York Column. Ihre luftige Höhe führte zu Scherzen, der Herzog (1763–1827) versuche den Gläubigern zu entkommen – bei seinem Tod war er mit damals £ 2 Mio. verschuldet! Im Norden wird der Park begrenzt von St James's, dem Viertel der *gentlemen's clubs*. **Über den Teich führt eine Brücke**, von der Sie einen tollen Blick auf den Buckingham Palace → S. 34 haben. **Wenden Sie sich nach links und folgen Sie dem Teich, bis vor dem Victoria Memorial ein Fußweg rechts abgeht. Wenn Sie The Mall überqueren**, sind Sie im ❸ **Green Park**, einer weiten Rasenfläche mit weniger Baumbestand und einer Geschichte als Leprafriedhof, Jagdgrund und Gemüsegarten im Zweiten Weltkrieg. **Folgen Sie einem der parallel zu Constitution Hill verlaufenden Pfade bis Hyde Park Corner; durch die Unterführung erreichen Sie den** ❹ **Wellington Arch**. Dieser Triumphbogen beherbergte früher die kleinste Polizeistation Londons; heute können Sie von oben die Aussicht genießen, u. a. auf das um 1775 entworfene Apsley House mit der wunderbaren Adresse „London No 1" – für das erste Haus hinter der Zollschranke. Hier lebte der Duke of Wellington von 1817 bis zu seinem Tod 1852.

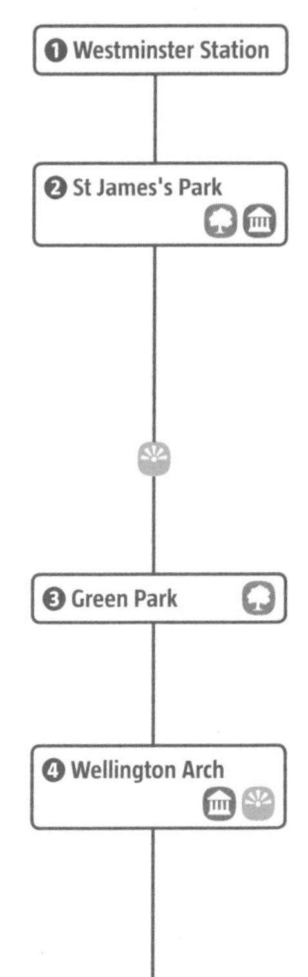

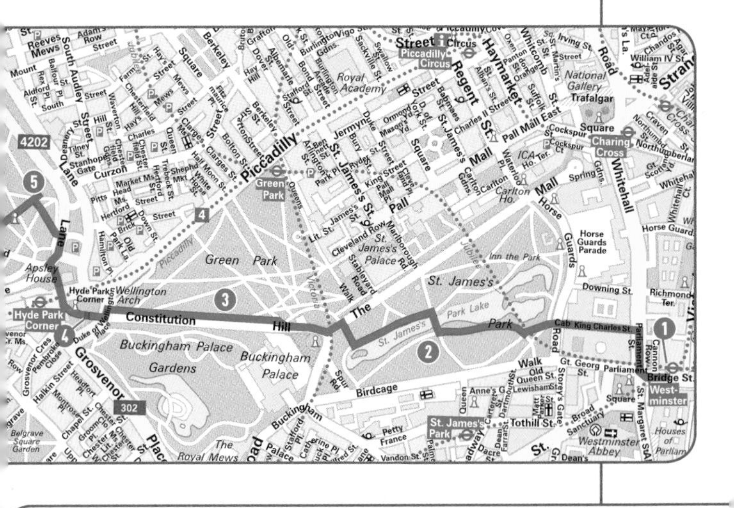

Londons Sonne lässt sich am besten in der grünen Oase des Green Park anbeten

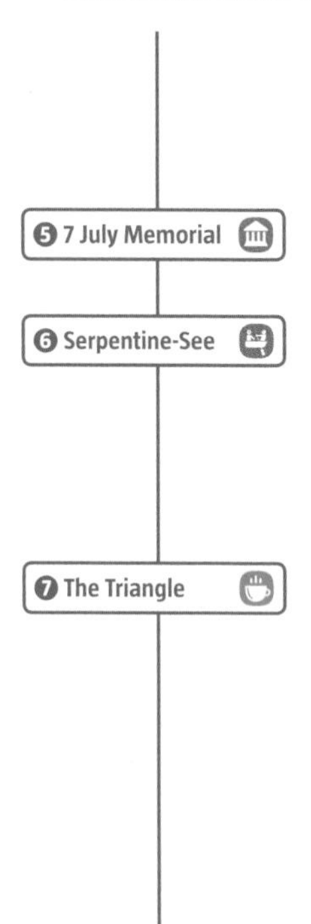

12:00 **Durch das silberfiligrane Queen Elizabeth Gate hinter Apsley House** betreten Sie **Hyde Park** → S. 30: 145 ha sanft gewellter Rasenflächen mit alten Baumgruppen, Blumenrabatten und Skulpturen. **Folgen Sie dem Lover's Walk an der Achilles-Statue vorbei Richtung Speaker's Corner.** Mit dem **5 7 July Memorial** wird der Opfer der Bombenanschläge vom 7. 7. 2005 mit 52 Stahlsäulen gedacht. **Halten Sie sich links und durchqueren Sie den Hyde Park**, bis Sie zum **6 Serpentine-See** gelangen. Linker Hand liegt das Bootshaus von **BlueBird Boats** *(Bootsvermietungen April–Okt. tgl. ca. 10 Uhr bis Sonnenuntergang | Tel. 020 72 62 13 30)*. Erleben Sie den Park aus einer anderen Perspektive. Nach einer kleinen Partie im Ruder- oder Tretboot **geht es am Wasser entlang. Kurz vor der Serpentine Bridge** treffen Sie auf den Kiosk **7 The Triangle** *(€)*. Gönnen Sie sich eine Pause und einen Blick auf das gegenüberliegende Ufer mit dem Lido und das wassergefüllte Granitoval hinter der Brücke: die Diana, Princess of Wales Memorial Fountain → S. 30. Seit über 100 Jahren findet im Serpentine-See am ersten Weihnachtstag ein Wettschwimmen um den Peter-Pan-Cup statt, einst präsentiert von J. M. Barrie (1860–1937), dem Autor der berühmten Geschichte des kleinen Jungen, der nicht erwachsen wurde.

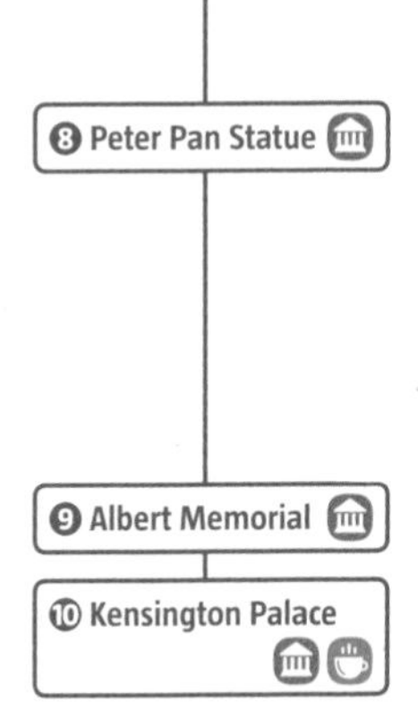

14:00 **Wenn Sie sich nach der Überquerung der Brücke rechts Richtung Norden wenden und am Wasser entlanggehen**, kommen Sie zur zierlichen 8 **Peter Pan Statue**: Peter Pan mit seiner Flöte, umgeben von Eichhörnchen und Mäusen. Barrie gab die Skulptur selbst bei dem Bildhauer G. Frampton in Auftrag und ließ sie 1912 aufstellen. **Sie gehen bis zur Brücke zurück und wenden sich nach rechts.** Es geht unmerklich vom Hyde Park in **Kensington Gardens** über. **Folgen Sie dem Fußweg Richtung Serpentine Gallery; wenn Sie rechts in den Flower Walk einbiegen**, sehen Sie das 9 **Albert Memorial** → S. 29 zu Ihrer Linken. **Biegen Sie rechts in Dial Walk ein** – 10 **Kensington Palace** → S. 30 liegt jetzt zu Ihrer Linken –, und gönnen Sie sich nach dem langen Spaziergang und der Bootstour einen zünftigen *Afternoon Tea* im netten Parkcafé **Orangery** *(tgl. 10–17 Uhr | Tel. 020 31 66 61 13 | www.orangerykensingtonpalace.co.uk | €€)*, z. B. mit INSIDER TIPP in Cornwall angebautem englischen Tee!

5 CHELSEA – WOHLHABEND, MODERN, SCHICK

START: 1 Sloane Square Station ZIEL: 8 Cadogan Hall	½ Tag reine Gehzeit 1¼ Stunden
Strecke: 4 km	
KOSTEN: Eintritte £ 25, Essen & Trinken £ 30	
ACHTUNG: 4 Chelsea Physic Garden und 5 Royal Hospital Chelsea Sa, Royal Hospital auch So geschl., Konzert in der 8 Cadogan Hall vorbuchen	

Chelsea lädt zum Bummeln ein. Bekannt ist die King's Road mit ihren vielen Boutiquen und Cafés. Der schicke Stadtteil, einst Hippiegegend, dann die Partymeile von Prinzessin Diana, beherbergt nun moderne Kunst. Auf der Tour begegnen Ihnen schicke Läden, geschichtsträchtige Häuser, rotbefrackte Herren und wunderbare Ausblicke auf die Themse – eine Mischung aus Kunst, Mode, Natur und Geschichte.

1 Sloane Square Station

12:00 Von der U-Bahn Station 1 **Sloane Square Station geht es links in die King's Road**. Ihr Name geht zurück auf König Karl II., der diese Straße für sich anlegen ließ. In den 1960er- und 70er-Jahren war sie das Epizen-

❷ Saatchi Gallery

❸ Cheyne Walk

❹ Chelsea Physic Garden

trum der Hippiekultur, Vivien Westwood eröffnete in dieser Zeit ihren Punkmodeladen. In den 1980ern mutierte Chelsea zum schicken Ausgehviertel von Prinzessin Diana. Heute reihen sich Modelabels, Antiquitätenläden, kleine Cafés und Pubs aneinander. Linker Hand steht die weltberühmte ❷ **Saatchi Gallery** → S. 32, die viel Wirbel mit zeitgenössischer Kunst macht. Die kostenlosen Ausstellungen zeigen, was die Kunstszene gerade bewegt. Bummeln Sie an Geschäften exklusiver und kleiner Labels vorbei. **An der Ecke Chelsea Manor Street** gelangen Sie zur **Old Town Hall**, bekannt für Antiquitäten- und Kunstmessen. **Weiter führt der Weg links in die Oakley Street; sie mündet auf die elegante pastellfarbene** Royal Albert Bridge, die 2011 nach einer teuren Sanierung wiedereröffnet wurde. **Biegen Sie vor der Brücke links** in den berühmten ❸ **Cheyne Walk** → S. 30, wo einst erlauchte Persönlichkeiten residierten – *blue plaques* an den Häusern weisen daraufhin, z. B. Schriftsteller Henry James in Nr. 21, Maler Dante Gabriel Rossetti in Nr. 16, Schriftstellerin George Eliot in Nr. 4 und in Nr. 3 Rolling Stones Gitarrist Keith Richards. **Halten Sie sich am Ende rechts und setzen Sie den Weg links auf dem Chelsea Embankment fort.**

14:00 Sie passieren bereits die Ausläufer des ❹ **Chelsea Physic Garden** → S. 29, **betreten Sie diesen**

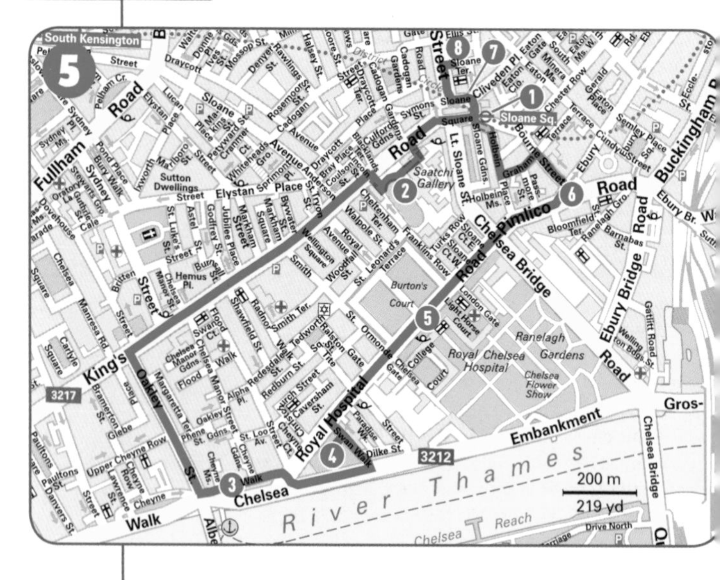

links über den Swan Walk. Wandeln Sie zwischen pharmazeutischen Pflanzen dieses Apothekengartens und genießen Sie eine erfrischende Pause im Gartencafé **Tangerine Dream Café** *(Tel. 020 73 49 64 64 | €)*. **Der Weg führt weiter auf die Royal Hospital Road.** Wundern Sie sich nicht, wenn Sie freundlich von rot befrackten Herren auf der Straße begrüßt werden. Denn in der Nähe ist das ❺ **Royal Hospital Chelsea** *(Mo-Fr 10–16 Uhr | Spende erbeten | www.chelsea-pensioners.co.uk)*, ein Heim für pensionierte britische Soldaten, das 1692 nach Plänen von Christopher Wren fertiggestellt wurde. Betreten Sie die gepflegte Anlage und bestaunen Sie in der *Great Hall* die Militärgeschichte des Landes, die in der Holzvertäfelung an den Wänden graviert ist. Schauen Sie in die gegenüberliegende Kapelle und in die Parkanlage Richtung Themse. Im Mai findet hier die berühmte *Chelsea Flower Show* statt, ein großes Ereignis im britischen Gartenkalender. **Weiter führt die Route über die Pimlico Road bis zum ❻ Orange Square**. Machen Sie hier eine Pause, schlecken Sie unterm Mozartdenkmal ein INSIDER TIPP sündhaft-köstliches Schokoladeneis von **William Curley's** *(198 Ebury Street)* und überlegen Sie sich, Samstag wiederzukommen, um das Treiben auf dem exklusiven kleinen Farmer's Market anzuschauen: mit lokalen Angeboten wie Fisch aus Kent oder frisches Pesto mit hausgemachter Pasta.

Zum London Jazz Festival in die Cadogan Hall

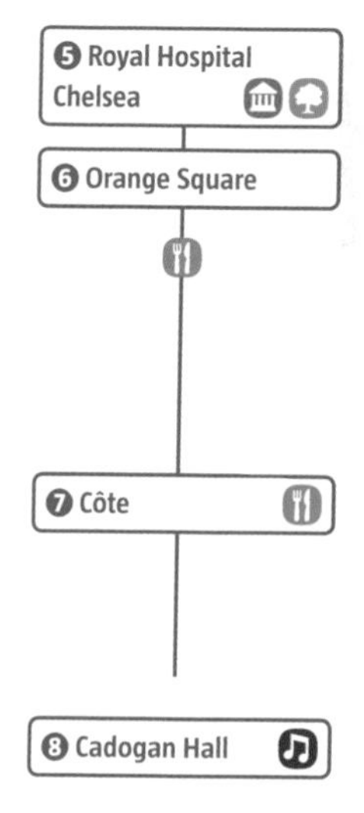

17:00 Beschließen Sie den Tag mit einem Abendessen und einem Konzert. **Es geht zurück zum Sloane Square, den Sie überqueren.** Im ❼ **Côte** *(tgl. 7–23, Pre-Theatre-Menu 12–19 Uhr | 7–12 Sloane Square | Tel. 020 78 81 59 99 | www.cote-restaurants.co.uk | €)* gibt's ein extra Theatermenü. Gestärkt ziehen Sie weiter, **umrunden den Platz und biegen rechts in die Sloane Street ein, bis rechts die Sloane Terrace abgeht**. Sie treffen auf die ❽ **Cadogan Hall** → S. 87, in der nahezu allabendlich gegen 19 Uhr Konzerte verschiedenster Art stattfinden: vom Gitarrenkonzert, über das Philharmonie-Orchester bis zum London Jazz Festival.

MIT KINDERN UNTERWEGS

Eine ausgesprochen kinderfreundliche Stadt ist London nicht, trotzdem können Kinder hier viel erleben: Die großen Museen, wie z. B. das *Science Museum* oder das *Natural History Museum*, sind kostenlos und bieten älteren Kindern viele Aktivitäten. Für Begeisterung sorgen auch das Riesenrad *London Eye*, das *London Aquarium Sea Life* oder der *Tower of London*. Für Teenager spannend sind *Madame Tussaud's*, *The London Dungeon (www.thedungeons.com/london)*, die *Wellcome Collection* oder natürlich Shopping auf der Oxford Street. Die großen Museen haben Cafés mit *children's menu*, manche sogar eine *picnic area*, sodass die Verpflegung selbst für Londoner Verhältnisse günstig sein kann. Wie *child-friendly* ein Ort ist, merken Sie, wenn Sie nach einem Kinderstuhl *(high chair)* fragen. Im Pub sind Kinder nicht gern gesehen, abends auch nicht im Restaurant; im Barbereich dürfen sie sich nach dem Gesetz gar nicht aufhalten. Alternativen für entspanntes Familienessen sind *family restaurants*. Lesetipp: „Millie in London" für kleinere oder „Kommissar Kugelblitz in London", ein Ratekrimi mit Geheimfolie und Englischvokabeln, für ältere Kinder. *www.visitlondon.com/things-to-do/activities/family-activities*

SHOPPEN

HAMLEY'S (137 E6) *(H6)*

Im größten Spielzeugladen des Landes können sich auch Erwachsene stundenlang beschäftigen; oft führen Animateure die neuesten Gimmicks vor. Zur Vorweihnachtszeit verwandelt sich der siebenstöckige Traditionsladen je nach Stimmung ins Paradies oder in die Vorhölle. *Mo–Fr 10–21, Sa 9.30–21, So 12–18 Uhr | 188–196 Regent Street | Tel. 0371 7041977 (*) | www.hamleys.com | U-Bahn Oxford Circus*

STAUNEN & SPIELEN

LONDON ZOO (136 B–C1) *(F–G2)*

Der berühmte Zoo liegt an der Nordseite von Regent's Park. Im *Rainforest Lookout* laufen Sie durch einen tropischen Regenwald. Buchen Sie ein VIP-Ticket vor, um bei den Fütterungen dabei zu sein. *Tgl. 10–17.30, im Winter bis 16 Uhr | Preise je nach Saison £ 17,50 (Kind)–£ 24 | www.zsl.org | U-Bahn Baker Street*

Schon die Anreise wird zum Ereignis, wenn Sie INSIDER TIPP mit dem Boot von „Little Venice" über den Regent's Canal in den Zoo einfahren *(einfache Fahrt inkl. Zooeintritt £ 26, Kinder £ 19 | www.*

Als vielseitige und grüne Großstadt hat London auch für Kinder viel zu bieten – nicht nur Museen und den Zoo

londonwaterbus.com | U-Bahn Warwick Avenue, Bakerloo).

PUPPET THEATRE BARGE
(135 E3) (*D4*)

Phantasievolles Puppentheater auf einem alten Lastkahn. *Sa/So 11, 15 Uhr, in den Schulferien tgl. | Little Venice (gegenüber Blomfield Road 35), im Sommer in Richmond | Tel. 020 72 49 68 76 | www.puppetbarge.com | U-Bahn Bakerloo: Warwick Avenue*

WELLCOME COLLECTION
(137 E–F 2–3) (*J3*)

„Eine kostenlose Destination für die unheilbar Neugierigen" ist das Motto, und die Neugierde aller Kinder wird in diesem Medizinmuseum befriedigt. Zwischen erleuchteten Skeletten, dem menschlichen Genom im Schuber und medizininspirierter Kunst lernen die Kids viel dazu, ohne es zu merken. Vieles interaktiv, alles gratis. Stärkung im modernen Café. *Di–So 10–18, Do bis 22 Uhr | 183 Euston Road | Tel. 020 76 11 22 22 | www.wellcomecollection.org | U-Bahn Euston Square*

ESSEN

PRIMROSE BAKERY (0) (*G1*)

Cupcakes mit Buttercreme-Topping liegen im Trend, und in diesem gemütlichen Café gibt es die leckersten. *69 Gloucester Av. | Tel. 020 74 83 42 22 | www.primrosebakery.org.uk | U-Bahn Northern: Chalk Farm*

Zweiter Laden: *42 Tavistock Street | Covent Garden | U-Bahn Piccadilly: Covent Garden*

RAINFOREST CAFÉ (137 F6) (*J6*)

Erlebnisessen im Dschungel mit Wasserfall und Elefantengetöse: Bestellen Sie „Dschungelpudding" (Himbeerjelly mit Smarties), die Safarisuppe oder aztekisches Hühnchen. Das Restaurant unterstützt den *World Land Trust* zur Erhaltung der Regenwälder. *20 Shaftesbury Av. | Tel. 020 74 34 31 11 | www.therainforestcafe.co.uk | U-Bahn Piccadilly Circus*

EVENTS, FESTE & MEHR

Die Londoner haben Sinn für Traditionen, Rituale und prächtige Uniformen, und nicht nur das Königshaus weiß sich in Szene zu setzen. So vielfältig die in London lebenden Kulturen, so vielfältig sind auch ihre Feste, die sie einem weiten Publikum öffnen. Was wann wo los ist, erfährt man aus dem Stadtmagazin „Time Out" *(Mi, www.timeout.com/london/)*.

VERANSTALTUNGEN

JANUAR

1. Jan. ***London Parade:*** Neujahrsumzug, 12 Uhr ab Hotel Ritz; *www.londonparade.co.uk*

JANUAR/FEBRUAR

INSIDER TIPP ***Chinese New Year:*** Das chinesische Neujahrsfest wird traditionell mit Drachenpuppen-Umzug, Tanz und Spezialitäten gefeiert; wechselndes Datum, 2016: 8. Feb., 2017: 28. Jan.; *www.chinatownlondon.org*

MÄRZ

17. März ***St Patrick's Day:*** Der irische Nationalheilige wird begossen; nächstgelegener So: Parade durchs Zentrum und Festival auf Trafalgar Square; *www.visitlondon.com*

APRIL

London Marathon: 40 000 Läufer nehmen teil, manche von ihnen lassen es sich nicht nehmen und werfen sich in verrückte Kostüme für wohltätige Zwecke; *www.virginmoneylondonmarathon.com*

MAI

Ende Mai ***Chelsea Flower Show:*** wichtige Society-Blumen- und Gartenausstellung; *www.rhs.org.uk*

JUNI

2. Sa ***Trooping the Colour:*** Geburtstagsparade für Elizabeth II. in Horse Guards Parade; *www.trooping-the-colour.co.uk*

Ab Ende Juni ***Wimbledon Lawn Tennis Championships:*** renommiertes, internationales Rasentennisturnier; *www.tennistours.com/wimbledon*

JULI

Mitte Juli–Mitte Sept. ★ ***Promenade Concerts („Proms"):*** Klassik in der grandiosen Royal Albert Hall; *www.bbc.co.uk/proms*

AUGUST

Anfang Aug. ***Great British Beer Festival:*** mit 500 *ales* und *ciders*, Earls Court; *www.gbbf.org.uk*

Letzter So/Mo ★ ***Notting Hill Carnival:*** karibischer Straßenkarneval mit buntem Umzug und phantasievollen Kostümen; *www.thenottinghillcarnival.com*

SEPTEMBER

2. Wochenende INSIDER TIPP ***The Mayor's Thames Festival:*** Londons größtes Outdoor-Kulturfestival mit Events rund um die Themse und Nachtkarneval; *totallythames.org*

Great River Race: Rennen von ca. 300 Teams in traditionellen Booten über 21 Meilen zwischen Richmond und Greenwich; *www.greatriverrace.co.uk*

London Design Festival: 10-tägiges hochkarätiges Event rund um die Designkultur im V-&-A-Museum und an weiteren Orten; *www.londondesignfestival.com*

OKTOBER

2. So ***Pearly Queens:*** Erntedankfest der Markthändler in perlmuttknopfbesetzten Kostümen, zelebriert in St Paul's Church, Covent Garden; *www.pearlysociety.co.uk*

Mitte–Ende Okt. ***London Film Festival***; *www.bfi.org.uk/lff*

NOVEMBER

5. Nov./nächstgelegenes Wochenende ***Bonfire Night:*** Feuerwerk zum Gedenken an die misslungene Sprengung des Parlaments durch Guy Fawkes 1605

2. Sa ***Lord Mayor's Show:*** Prozession des neuen Oberbürgermeisters der City of London; *www.lordmayorsshow.org*

Mitte Nov. ***Jazz Festival***: 10 Tage Jazzimpro vom Feinsten. Internationale Musiker spielen verteilt in der ganzen Stadt; *www.visitlondon.com*

DEZEMBER

Abendliches ***Weihnachtsliedersingen*** am Trafalgar Square. Am 31. Dez. wird hier das Neue Jahr begrüßt.

FEIERTAGE

1. Jan.	Neujahr
März/April	Karfreitag; Ostermontag
1. Mo im Mai	*Bank Holiday*
letzter Mo im Mai	*Bank Holiday*
letzter Mo im Aug.	*Bank Holiday*
25./26. Dez.	Weihnachten

Ist der 1. Januar oder 25./26. Dezember ein Samstag oder Sonntag, fällt der Feiertag auf den folgenden Wochentag.

LINKS, BLOGS, APPS & CO.

LINKS & BLOGS

www.curiocity.org.uk Seit 2011 werden kuriose Karten von London kreiert, z. B. *London Dissected:* London als gigantischer Körper, in dessen Eingeweide man blickt, mit arteriellen Durchgangsstraßen und lymphatischen Wasserstraßen. Oder wie wär's mit *London Bestiary,* um die wilden Tiere der Stadt zu finden? Karten im Online-Shop £ 5

www.londonslostrivers.com Eine wunderbare Sammlung verschwundener und bekannter Flüsse in London; Fotos, Historie sowie Erläuterungen geben Ihnen besondere Eindrücke. Noch besser: eine Stadtführung mit dem Autor Paul Telling

www.londonleben.co.uk Deutsche Insider-Perspektive mit praktischen Tipps und diversen deutschsprachigen „Notizen aus der großartigsten Stadt der Welt"

www.streetartlondon.co.uk Graffiti, Spray und Stencils – mit dieser Seite bleibt man dran an der ständig wechselnden Szene; eine eigene App navigiert zu den schönsten Werken, persönlicher ist es mit einer Tour

www.marcopolo.de/london Alles auf einen Blick zu Ihrem Reiseziel: Interaktive Karten inklusive Planungsfunktion, Impressionen aus der Community, aktuelle News und Angebote ...

www.run-riot.com Auswahl der Untergrund- und Trendkultur der Stadt, mit wöchentlichem Indie-Musik-Podcast

www.spottedbylocals.com Vor-Ort-Londoner teilen mit bemerkenswertem Enthusiasmus die Perlen, die sie finden – Restaurants, Märkte, Shops; auch als App

www.littleobservationist.com Englischsprachiger Blog einer New Yorkerin, die seit 2007 in London lebt, mit vielen persönlichen Eindrücken zu Kunst und Design, Shops und Bars, Spaziergängen und Tipps

Egal, ob für Ihre Reisevorbereitung oder vor Ort: Diese Adressen bereichern Ihren Urlaub. Da manche sehr lang sind, führt Sie der short.travel-Code direkt auf die beschriebenen Websites. Falls bei der Eingabe der Codes eine Fehlermeldung erscheint, könnte das an Ihren Einstellungen zum anonymen Surfen liegen

londonblogger.de Deutschsprachiger Blog mit aktuellen Einträgen und Erfahrungsberichten zu allem, was man in dieser Stadt erleben, unternehmen, sehen oder essen und trinken kann

short.travel/lon8 Immer am Ball mit den neuesten tweets der Time-Out-Redakteure zum kulturellen und gastronomischen Londoner Leben

www.couchsurfing.org Netz-Community für Gratis-Übernachtungen mit kulturellem Austausch und der Organisation des Social Life gleich mit

VIDEOS & MUSIK

www.soundsurvey.org.uk Die Töne, Sounds und Geräuschkulissen von London Town, ständig aktualisiert

short.travel/lon9 Spannende Serie überblendeter Fotos als Collage mit Blicken auf Londons Brücken aus heutiger und damaliger Sicht; die historischen Fotos stammen aus dem späten 19. und frühen 20. Jh.

short.travel/lon3 Vier „Business Ninjas" im Anzug laufen Parkour – der urbane Free Running-Stil – über diverse Hindernisse zu ihrem Arbeitsplatz in der City of London

short.travel/lon4 Wer Höhenangst hat, kann sich die Aussichten auf die Stadt vom London Eye gönnen, ohne selbst damit fahren zu müssen; in hoher Qualität

APPS

Cycle Hire App, die einem die nächste Docking-Station für Barclays Cycle Hire anzeigt

London Cycle Gratis-App zum Londoner Leihradangebot, das einem die nächste Leihradstation sucht – mit der Zahl der vorhandenen fahrbaren Untersätze in Echtzeit

Check in Easy Ab einem gewissen Alter hat man keine Lust mehr, in der Kälte auf gesichtskontrollierten Einlass zu warten. Mit der guestlist-&-event-check-in-Manager-App können Sie sich auf die Gästeliste bei Top-Clubs setzen lassen. Gratis

PRAKTISCHE HINWEISE

ANREISE

Mit dem Auto fahren Sie von Dover/Folkestone auf der M20 Richtung London und folgen dann den Schildern nach West End/City. Die M25 ist die Ringautobahn, die *North Circular* (A406) bzw. *South Circular* (A205) die innere Ringstraße. Mit der Mitfahrzentrale*(www.mitfahrzentrale.de)* kommen Sie für ca. 70 Euro nach London. Der Autozug (Calais–Folkestone) braucht 35 Min. für einen Preis ab 78 Euro *(www.eurotunnel.com | Tel. 01805 00 02 48)*. Über *www.ocean24.de* erhalten Sie Informationen zu Fährverbindungen ab Frankreich, z. B. Calais–Dover mit *DFDS Seaways* (90 Min., ab 52 Euro, einfache Fahrt mit PKW) und *P & O Ferries* (90 Min., ab 52 Euro, einf. Fahrt mit PKW) und zur Verbindung Hoek van Holland–Harwich (105 Euro einfache Fahrt).

Der Eurostar bringt Sie nach London, z. B. Köln–Brüssel–London/St Pancras (5 Std., ab 59 Euro für die einfache Fahrt von jedem deutschen Bahnhof), *www.eurostar.com | www.bahn.de | Tel. 0180 6 99 66 33*.

Linienflüge (Lufthansa, British Airways, Austrian Airlines, Swiss) landen in Heathrow, 18 km vom Stadtzentrum, Billigflieger steuern Stansted (nordöstl.), Luton (nördl.) oder Gatwick (südl.) an. Businessflieger nutzen auch den zentrumsnahen London City Airport in East London, der u. a. von Lufthansa angeflogen wird. *Air Berlin (www.airberlin.com)* u. a. Berlin, Zürich, Wien. *Easyjet (www.easyjet.com)* u. a. Berlin, Dortmund, Wien, Basel. *Eurowings (www.eurowings.com)* z. B. Köln/Bonn, Hamburg, Stuttgart, Klagenfurt, Salzburg, Zürich. *Ryanair (www.ryanair.com)* Berlin, Bremen, Frankfurt/Hahn, Baden-Baden, Leipzig, Linz, Salzburg, Düsseldorf/Weeze. Lufthansa und British Airways *(www.ba.com)* haben oft interessante Angebote (ab 64 Euro).

Busse bedienen alle Airports *(u. a. www.nationalexpress.com)*, z. B. von Stansted nach Victoria (90 Min.): £ 24 hin und zurück. Bus Stansted–Baker Street oder Old Street *(www.easybus.co.uk)* hin/zurück £ 5–16. Mit der U-Bahn (Piccadilly Line) dauert die Fahrt von Heathrow ins Zentrum 55 Min., mit Heathrow-Express nach Paddington (hin/zurück £ 34/15 Min.); Gatwick-Express (30 Min.) nach Victoria hin/zurück £ 34,90, online

GRÜN & FAIR REISEN

Auf Reisen können auch Sie viel bewirken. Behalten Sie nicht nur die CO_2-Bilanz für Hin- und Rückreise im Hinterkopf *(www.atmosfair.de; de.myclimate.org)* – etwa indem Sie Ihre Route umweltgerecht planen *(www.routerank.com)* – , sondern achten Sie auch Natur und Kultur im Reiseland *(www.gate-tourismus.de; www.ecotrans.de)*. Gerade als Tourist ist es wichtig, auf Aspekte wie Naturschutz *(www.nabu.de; www.wwf.de)*, regionale Produkte, wenig Autofahren, Wassersparen und vieles mehr zu achten. Wenn Sie mehr über ökologischen Tourismus erfahren wollen: europaweit *www.oete.de*; weltweit *www.germanwatch.org*

Von Anreise bis Zoll

Urlaub von Anfang bis Ende: die wichtigsten Adressen und Informationen für Ihre London-Reise

£ 31,05; Stansted-Express nach Liverpool Street (45 Min.), hin/zurück £ 33. Ein guter Tipp für die Reisekasse: INSIDER TIPP bereits vor der Anreise Bus oder Zug ab Airport online buchen, da dies oftmals günstiger ist.

AUSKUNFT

www.visitbritain.com, www.visitlondon.com, www.londononline.co.uk, www.londontourist.org, www.londontown.com, www.timeout.com

CITY OF LONDON INFORMATION CENTRE (139 E5) (*🗺 N5–6*)
Mo–Sa 9.30–17.30, So 10–16 Uhr | St Pauls Churchyard | Tel. 020 73 32 14 56 | www.visitthecity.co.uk | U-Bahn Central: St Pauls, Circle, District: Blackfriars

HOLBORN INFORMATION KIOSK
(138 B4–5) (*🗺 K5*)
Mo–Fr 8–18 Uhr | 88–94 Kingsway | vor der Holborn Tube Station | U-Bahn Central, Piccadilly: Holborn

AUTO

In Großbritannien gilt Linksverkehr, im Kreisverkehr *(roundabout)* heißt es: rechts vor links. Radarkameras überwachen Innenstadt-Tempolimits. In der Innenstadt gilt von Mo bis Fr zwischen 7 und 18 Uhr eine Maut, *congestion charge (£ 10 | tfl.gov.uk/modes/driving/congestion-charge | Tel. 0343 2 22 22 22 (*) | vom Ausland: +44 20 76 49 91 22)*. Automobile Association (AA) *(Notruf-Tel. 08457 88 77 66 | www.theaa.com)*. Mietwagen erhalten Sie z. B. von *www.easycar.com*.

DIPLOMATISCHE VERTRETUNGEN

BOTSCHAFT DER BUNDESREPUBLIK DEUTSCHLAND (GERMAN EMBASSY)
(144 C3) (*🗺 G8*)
23 Belgrave Square | www.london.diplo.de | Tel. 020 78 24 13 00 | U-Bahn Piccadilly: Hyde Park Corner, District: Sloane Square

BOTSCHAFT DER REPUBLIK ÖSTERREICH (AUSTRIAN EMBASSY)
(144 C3) (*🗺 F–G8*)
18 Belgrave Mews West | www.bmeia.gv.at/london | Tel. 020 73 44 32 50 | U-Bahn Piccadilly: Hyde Park Corner, District: Sloane Square

SCHWEIZER BOTSCHAFT (SWISS EMBASSY) (136 B4) (*🗺 F5*)
16–18 Montagu Place | www.eda.admin.ch/london | Tel. 020 76 16 60 00 | U-Bahn Baker Street

EINREISE

Zur Einreise reicht für Bürger der Bundesrepublik Deutschland (auch für Kinder), Österreichs oder der Schweiz ein gültiger Personalausweis. Mit dem Auto: Führerschein, Kfz-Schein, Internationale Grüne Versicherungskarte.

FAHRRAD

Rund um die Uhr können Sie robuste Aluminiumräder mit Dreigangschaltung ausleihen. ● Fahrten unter 30 Minuten sind gratis! An der Docking Station – in der Innenstadt alle 400–500 m, erkennbar an dem blau abgewandelten U-Bahn-

Schild CYCLE HIRE – folgen Sie den simplen Anweisungen, um ein Fahrrad per Visa- oder MasterCard abzulösen. Das Netz wird ständig erweitert.

FUNDBÜRO

Aus Versicherungsgründen Verluste der Polizei melden. U-Bahn/Bus/Blackcab-Taxis: *Transport For London Lost Property Office* (136 B3) (*🕮 F4*) *(Mo–Fr 8.30–16 Uhr | 200 Baker Street | Tel. 0343 2221234 (*) | www.tfl.gov.uk/lpo | U-Bahn Baker Street)*

GESUNDHEIT

Bei Notfällen wählen Sie *999* und fragen nach einem Krankenwagen: *ambulance*. EU-Bürger und Schweizer haben Anrecht auf kostenlose Versorgung im Krankenhaus (24-Std.-Notaufnahme: *Accident & Emergency St Mary's* (135 F5) (*🕮 D5*) *(Praed Street | Tel. 020 33126666 | U-Bahn Paddington)* oder durch einen Allgemeinarzt (GP) des staatlichen Gesundheitswesens NHS, z. B. *NHS-Walk-In-Clinics* (137 F5) (*🕮 J5*) *(1 Frith Street | Tel. 020 75346575)*. 24-Std.-Apotheke: *Zafash* (143 D5) (*🕮 C10*) *(233 Old Brompton Road | Tel. 020 73732798 | www.zafashpharmacy.co.uk | U-Bahn District, Piccadilly: Earls Court)*. Not-Zahnarzt (kostenpflichtig): *Barts and The London Dental Hospital* (141 D4) (*🕮 R5*) *(Turner Street | Tel. 020 77673203 (tagsüber) | 020 35940938 (abends und am Wochenende) | U-Bahn District: Whitechapel)*

INTERNETZUGANG & WLAN

Mittlerweile hat man fast überall in der City WLAN-Zugang (= WiFi); außerhalb ist der Zugang rarer. Viele Cafés bieten

SPORTS – VERY BRITISH

Mit den Londonern dem Fußballgott huldigen! Tickets für Premiership-Spiele der Clubs Arsenal *(www.arsenal.com)*, Chelsea *(www.chelseafc.com)* und Tottenham Hotspurs *(www.tottenhamhotspur.com)* sind schwer zu bekommen; probieren Sie es über *www.viagogo.com,* oder suchen Sie kleinere Vereine auf wie Crystal Palace *(www.cpfc.co.uk)*, Fulham *(www.fulhamfc.com),* West Ham United *(www.whufc.com)*. Auch schön: eine Tour durchs Wembley-Stadion (Norman Fosters Neuauflage) **(0)** (***🕮 0***) teil. *Tel. 0800 1699933 (*), aus Deutschland: 0844 8002755 | www.wembleystadium.com | U-Bahn Metropolitan: Wembley Park*

Englischer als Cricket geht's nicht. *Lord's Cricket Ground* **(135 F2)** (***🕮 D3***) *(St John's Wood Road | Tickets: Tel. 020 74321000 | Führungen: April–Okt. tgl. 10, 11, 12, 13, 14 Uhr | £ 18 | Tel. 020 76168595 | www.lords.org | U-Bahn Jubilee: St John's Wood)*. Wer's härter mag: *Twickenham Stadium* **(0)** (***🕮 0***) *(Tickets: Tel. 0871 2222020)* ist die Londoner Heimat des auf der Insel sehr beliebten Rugby. *Museum of Rugby (Di–Sa 10–17, So 11–17 Uhr | Führungen: Di–Sa 10.30, 12, 13.30, 15, So 12, 15 Uhr (außer an Matchtagen) | £ 16 | Whitton Road | Twickenham | Tel. 020 88928877 | www.rfu.com/twickenhamstadium/worldrugbymuseum | Züge Twickenham, ab Waterloo)*.

WLAN als Service, in Hotels ist es oft kostenpflichtig. WiFi gibt's auch in über 150 U-Bahnstationen. Ein WiFi-Pass hierfür kostet £ 2/Tag oder £ 5/Woche oder ist kostenlos, wenn man Virgin-Kunde ist *(my.virginmedia.com/wifi/)*. Wer dennoch ein Internetcafé braucht, findet bei *www.allinlondon.co.uk* eine Liste.

MASSE & GEWICHTE

1 inch (in) = 2,54 cm
1 foot (ft) = 30,48 cm
1 gallon (gal) = 4,55 l
1 ounce (oz) = 28,35 g
1 pound = 453,6 g
1 pint (pt) = 0,57 l
1 yard (yd): 0,91 m
1 mile (m) = 1,61 km
Die englischen Konfektionsgrößen 8, 10, 12, 14, 16, 18 entsprechen den deutschen 34, 36, 38, 40, 42, 44.

NOTRUF

Zentraler *Notruf 999* (Krankenwagen, Feuerwehr, Polizei)

ÖFFENTLICHE VERKEHRSMITTEL

Infos: *www.tfl.gov.uk*. Die U-Bahn, *tube*, fährt auf zwölf farblich gekennzeichneten Linien. Dazu kommt die DRL *(Docklands Light Railway)*. Vor Fahrtantritt kaufen Sie eine Tages-*Travelcard*, da Sie in Bus und Bahn keine Tickets bekommen. Diese ist günstiger als Einzeltickets (Zones 1–6 ab 9.30 Uhr £ 12). Oder Sie kaufen eine *Visitor Oyster card* für das Nahverkehrsnetz (viele Fahrten bis zu 50 Prozent preiswerter). Die Karte ist vorab bestellbar bei *www.visitbritainshop.com*, *Österreich/Schweiz: www.groundline.com*; Startguthaben £ 20–£ 50 plus £ 3 Aktivierung und vor Ort wieder aufladbar.

WÄHRUNGSRECHNER

€	GBP	GBP	€
1	0,72	1	1,38
2	1,44	2	2,77
3	2,16	3	4,16
4	2,88	4	5,54
5	3,60	5	6,93
6	4,32	6	8,32
7	5,04	7	9,70
8	5,76	8	11,00
9	6,48	9	12,48
10	7,20	10	13,86

Mit beiden Karten können Sie pro Tag viel fahren, ein bestimmter Betrag – je nach Zones – wird nicht überschritten. Für längere Aufenthalte holen Sie sich eine *Oyster card,* die Sie für eine bestimmte Woche bzw. einen bestimmten Monat aufladen. Inzwischen können einige Kreditkarten für das kontaktlose Bezahlen in den U-Bahnen und Bussen genutzt werden (Achtung: Auslandsgebühren).
London ist auf dem Weg zu einer 24-h-City, lange nach New York oder Berlin. Wochentags fährt die letzte U-Bahn ca. 24 bis 0.30 Uhr, seit 2016 fahren sie am Wochenende auch nachts oder man nimmt die Nachtbusse (N) z. B. vom/zum Trafalgar Square. *24-Std. London Travel Information (Tel. 0343 2 22 12 34 (*)). Travel Information Centres:* Bahnhöfe u. a. Liverpool Street, Victoria, Heathrow Airport. Zugauskünfte: *Tel. 084 57 48 49 50*.

POST

Postkarten/Briefe bis 20 g innerhalb Europas: 97 Pence. *Zentrales Postamt* (138 A6) *(K6) (24–28 William IV Street | Mo–Fr 8.30–18.30, Sa 9–17.30 Uhr | U-Bahn Bakerloo, Northern: Charing Cross)*

PREISE & WÄHRUNG

Währung ist das Pfund Sterling (£), umgangssprachlich *quid*, unterteilt in 100 Pence (p). Der Euro-Umrechnungskurs bewegt sich zwischen 1 und 1,4; die effektive Kaufkraft ist allerdings geringer, aufgrund hoher Steuern vor allem bei Spirituosen und Zigaretten (Schachtelpreis um £ 8!). Am Automaten, *cash point*, Geld abzuheben kostet ca. 5 Euro Gebühren. Umtausch ohne Gebühren, *commission-free*, ist auf größeren Postämtern möglich. Visa und Mastercard sind weit verbreitet.

STADTRUNDFAHRTEN & BOOTSTOUREN

● Offene rote Doppeldeckerbusse fahren drei Routen, Tickets (gültig 24 Std.) beim Fahrer (£ 29), online (ab £ 25,50) unter *www.theoriginaltour.com* oder in 17–19 Cockspur Street. Livekommentar oder Band: *Big Bus Company (eng. bigbustours.com/london/home.html | £ 32, online ab £ 25 | 48 Buckingham Palace Road | tgl. 8.30–17, Juli/Aug. bis 19 Uhr | Tel. 020 78 08 67 53)*. Bei beiden Anbietern sind Flussfahrt und Stadtführung inbegriffen.

Lassen Sie sich beim Photowalk an Stellen führen, wo kein Touri steht, und schießen Sie Wachablösung & Co. aus neuen Perspektiven *(Tel. 0795 0 39 51 04 | www.photowalksoflondon.com)*.

INSIDER TIPP Auf dem Kajak die Themse entdecken – von Windsor, Hampton Court aus oder auf dem Regent's Canal, für Könner und Anfänger, auch mit einem Gläschen Sekt: *London Kajak Tours (Tel. 0845 4 53 20 02 | www.londonkayaktours.co.uk)*.

City Cruises (s. S. 110) fährt eine sehr schöne Sightseeingroute auf der Themse *(ab £ 11,70)*.

WETTER IN LONDON

	Jan.	Feb.	März	April	Mai	Juni	Juli	Aug.	Sept.	Okt.	Nov.	Dez.
Tagestemperaturen in °C	6	7	10	13	17	20	22	21	19	14	10	7
Nachttemperaturen in °C	2	2	3	5	8	11	13	13	11	8	5	3
Sonnenschein Stunden/Tag	2	2	4	6	7	7	7	6	5	3	2	1
Niederschlag Tage/Monat	11	9	8	8	8	8	9	9	9	9	10	9

 Sonnenschein Stunden/Tag Niederschlag Tage/Monat

Geführte Radtouren (tgl. 10.30 Uhr, INSIDER TIPP 10.15 Uhr auf Deutsch, £ 24,95, 3 Std., mit Anmeldung): *London Bicycle Tour Company (www.londonbicycle.com | Gabriel's Wharf 1a | 56 Upper Ground | Tel. 020 79286838 | U-Bahn Jubilee: Southwark)*. Dreitägige Radtour durch London: *Key-Move (Tel. Deutschl. 0761 55655929 | www.keymove.net)*

STROM

Netzspannung: 240 Volt/50 Hz. Steckdosen sind dreipolig *(three-pin)* und haben einen An/Aus-Schalter. Adapter nötig!

TAXI

Bei den zuverlässigen Londoner Taxis, den *black cabs* (meist schwarz, manchmal auch andersfarbig) werden Sie beim Fahrpreis *(fare)* nicht übers Ohr gehauen. Wenn das Schild FOR HIRE/TAXI leuchtet, ist der Wagen frei. Taxi bestellen können Sie bei *Dial-a-cab (mit Kreditkarten-Vorbestellung | Tel. 020 74263420 | Tel. 020 72535000 | www.dialacab.co.uk)*. Minicabs: *Addison Lee (Tel. 020 74079000 | www.addisonlee.com), Pink Ladies Taxi Company (Tel. 0843 2087465 | www.pinkladies.co.uk)* mit weiblichen Fahrern für Frauen (erst online registrieren).

TELEFON & HANDY

Telefonzellen nehmen Kreditkarten und/oder Münzen. Vorwahl für Großbritannien: 0044; die Null der Ortsvorwahl (020 für London) wird weggelassen. Vorwahl für Deutschland: 0049, Österreich: 0043, Schweiz: 0041. Operator: 100. Innerhalb Londons wählen Sie nur die letzten 8 Ziffern der Nummer, vom Handy aus mit 020 vorweg. Handynummern beginnen mit einer (0), bei Anrufen aus dem Ausland lassen Sie diese weg. Nähe Trafalgar Square bei *Carphone Warehouse (tgl. | 434 Strand)* gibt's fürs Mobiltelefon SIM-Karten verschiedener Anbieter (£ 10 inkl. Guthaben). Günstige Aufladestation für gängige Modelle: bei Vodafone im Bahnhof St-Pancras!

WAS KOSTET WIE VIEL?

Kaffee	3,50 Euro *in der Kaffeebar*
Bier	4,60 Euro *für 0,5 l im Pub*
Fish & Chips	9 Euro *am Imbiss-Stehtisch*
Kino	20 Euro *für eine Karte*
ÖPNV	16 Euro *Tagesticket Bus/Bahn*
Taxi	10,50 Euro *für eine Meile*

TRINKGELD

Trinkgeld („Service charge") kommt oft schon mit auf die Menürechnung, üblich sind 10–15 Prozent. In Pubs wird nie Trinkgeld *(tip)* gegeben. Hotelportiers: £ 1 pro Gepäckstück.

ZEIT

Greenwich Mean Time ist ganzjährig eine Stunde hinter der MEZ zurück.

ZOLL

EU-Bürger können Waren zum persönlichen Gebrauch (z. B. 800 Zigaretten, 10 l Spirituosen) zollfrei ein- und ausführen; für Schweizer gelten geringere Mengen. Infos: *www.gov.uk/browse/abroad/travel-abroad*

SPRACHFÜHRER ENGLISCH

AUSSPRACHE

Zur Erleichterung der Aussprache sind alle englischen Wörter mit einer einfachen Aussprache (in eckigen Klammern) versehen. Folgende Zeichen sind Sonderzeichen:

θ hartes [s] (gesprochen mit Zungenspitze an der oberen Zahnreihe, zischend)
D weiches [s] (gesprochen mit Zungenspitze an der oberen Zahnreihe, summend)
' nachfolgende Silbe wird betont
ə angedeutetes [e] (wie in „Bitte")

AUF EINEN BLICK

ja/nein/vielleicht	yes [jäs]/no [nəu]/maybe [mäibi]
bitte/danke	please [plihs]/thank you [θänkju]
Entschuldige!	Sorry! [Sori]
Entschuldigen Sie!	Excuse me! [Iks'kjuhs mi]
Darf ich ...?	May I ...? [mäi ai ...?]
Wie bitte?	Pardon? ['pahdn?]
Ich möchte .../Haben Sie ...?	I would like to ...[ai wudd 'laik tə ...]/ Have you got ...? ['Həw ju got ...?]
Wie viel kostet ...?	How much is ...? ['hau matsch is ...]
Das gefällt mir (nicht).	I (don't) like this. [Ai (dəunt) laik Dis]
gut/schlecht	good [gud]/bad [bäd]
offen/geschlossen	open ['oupän]/closed ['klousd]
kaputt/funktioniert nicht	broken ['brəukən]/doesn't work ['dasənd wörk]
Hilfe!/Achtung!/Vorsicht!	Help! [hälp]/Attention! [ə'tänschən]/Caution! ['koschən]

BEGRÜSSUNG & ABSCHIED

Guten Morgen!/Tag!	Good morning! [gud 'mohning]/ afternoon! [aftə'nuhn]
Gute(n) Abend!/Nacht!	Good evening! [gud 'ihwning]/night! [nait]
Hallo!/Auf Wiedersehen!	Hello! [hə'ləu]/Goodbye! [gud'bai]
Tschüss!	Bye! [bai]
Ich heiße ...	My name is ... [mai näim is ...]
Wie heißen Sie/heißt Du?	What's your name? [wots jur näim?]
Ich komme aus ...	I'm from ... [Aim from ...]

Do you speak English?

„Sprichst du Englisch?“ Dieser Sprachführer hilft Ihnen, die wichtigsten Wörter und Sätze auf Englisch zu sagen

DATUMS- & ZEITANGABEN

Montag/Dienstag	monday ['mandäi]/tuesday ['tjuhsdäi]
Mittwoch/Donnerstag	wednesday ['wänsdäi]/thursday ['θöhsdäi]
Freitag/Samstag	friday ['fraidäi]/saturday ['sätərdäi]
Sonntag/Werktag	sunday ['sandäi]/weekday ['wihkdäi]
Feiertag	holiday ['holidäi]
heute/morgen/gestern	today [tə'däi]/tomorrow [tə'morəu]/yesterday ['jästədäi]
Stunde/Minute	hour ['auər]/minutes ['minəts]
Tag/Nacht/Woche	day [däi]/night [nait]/week [wihk]
Monat/Jahr	month [manθ]/year [jiər]
Wie viel Uhr ist es?	What time is it? [wot 'taim is it?]
Es ist drei Uhr.	It's three o'clock. [its θrih əklok]

UNTERWEGS

links/rechts	left [läft]/right [rait]
geradeaus/zurück	straight ahead [streit ə'hät]/back [bäk]
nah/weit	near [niə]/far [fahr]
Eingang/Einfahrt	entrance ['äntrənts]/driveway ['draifwäi]
Ausgang/Ausfahrt	exit [ägsit]/exit [ägsit]
Abfahrt/Abflug/Ankunft	departure [dih'pahtschə]/departure [dih'pahtschə]/ arrival [ə'raiwəl]
Darf ich Sie fotografieren?	May I take a picture of you? [mäi ai täik ə 'piktscha of ju?]
Wo ist ...?/Wo sind ...?	Where is ...? ['weə is...?]/Where are ...? ['weə ahr ...?]
Toiletten/Damen/Herren	toilets ['toilət] (auch: restrooms [restruhms])/ladies ['läidihs]/gentlemen ['dschäntlmən]
Bus/Straßenbahn	bus [bas]/tram [träm]
U-Bahn/Taxi	underground ['andəgraunt]/taxi ['tägsi]
Parkplatz/Parkhaus	parking place ['pahking pläis]/car park ['kahr pahk]
Stadtplan/(Land-)Karte	street map [striht mäp]/map [mäp]
Bahnhof/Hafen	(train) station [(träin) stäischən]/harbour [hahbə]
Flughafen	airport ['eəpohrt]
Fahrplan/Fahrschein	schedule ['skädjuhl]/ticket ['tikət]
Zug/Gleis	train [träin]/track [träk]
einfach/hin und zurück	single ['singəl]/return [ri'törn]
Ich möchte ... mieten.	I would like to rent ... [Ai wud laik tə ränt ...]
ein Auto/ein Fahrrad	a car [ə kahr]/a bicycle [ə 'baisikl]
Tankstelle	petrol station ['pätrol stäischən]
Benzin/Diesel	petrol ['pätrəl]/diesel ['dihsəl]
Panne/Werkstatt	breakdown [bräikdaun]/garage ['gärasch]

ESSEN & TRINKEN

Reservieren Sie uns bitte für heute Abend einen Tisch für vier Personen.	Could you please book a table for tonight for four? [kudd juh 'plihs buck ə 'täibəl for tunait for fohr?]
Die Speisekarte, bitte.	The menue, please. [Də 'mänjuh plihs]
Könnte ich bitte ... haben?	May I have ...? [mäi ai häw ...?]
Messer/Gabel/Löffel	knife [naif]/fork [fohrk]/spoon [spuhn]
Salz/Pfeffer/Zucker	salt [sohlt]/pepper ['päppə]/sugar ['schuggə]
Essig/Öl	vinegar ['viniga]/oil [oil]
Milch/Sahne/Zitrone	milk [milk]/cream [krihm]/lemon ['lämən]
mit/ohne Eis/Kohlensäure	with [wiD]/without ice [wiD'aut ais]/gas [gäs]
Vegetarier(in)/Allergie	vegetarian [wätschə'täriən]/allergy ['älladschi]
Ich möchte zahlen, bitte.	May I have the bill, please? [mäi ai häw De bill plihs]
Rechnung/Quittung	invoice ['inwois]/receipt [ri'ssiht]

EINKAUFEN

Wo finde ich ...?	Where can I find ...? [weə kän ai faind ...?]
Ich möchte .../Ich suche ...	I would like to ... [ai wudd laik tu]/I'm looking for ... [aim luckin foə]
Brennen Sie Fotos auf CD?	Do you burn photos on CD? [Du ju börn 'fəutəus on cidi?]
Apotheke/Drogerie	pharmacy ['farməssi]/chemist ['kemist]
Bäckerei/Markt	bakery ['bäikəri]/market ['mahkit]
Lebensmittelgeschäft	grocery ['grəuscheri]
Supermarkt	supermarket ['sjupəmahkət]
100 Gramm/1 Kilo	100 gram [won 'handrəd gräm]/1 kilo [won kiləu]
teuer/billig/Preis	expensive [iks'pänsif]/cheap [tschihp]/price [prais]
mehr/weniger	more [mor]/less [läss]
aus biologischem Anbau	organic [or'gännik]

ÜBERNACHTEN

Ich habe ein Zimmer reserviert.	I have booked a room. [ai häw buckt ə ruhm]
Haben Sie noch ...?	Do you have any ... left? [du ju häf änni ... läft?]
Einzelzimmer	single room ['singəl ruhm]
Doppelzimmer	double room ['dabbəl ruhm] (Bei zwei Einzelbetten: twin room ['twinn ruhm])
Frühstück/Halbpension	breakfast ['bräckfəst]/half-board ['hahf boəd]
Vollpension	full-board [full boəd]
Dusche/Bad	shower ['schauər]/bath [bahθ]
Balkon/Terrasse	balcony ['bälkəni]/terrace ['tärräs]
Schlüssel/Zimmerkarte	key [ki]/room card ['ruhm kahd]
Gepäck/Koffer/Tasche	luggage ['laggətsch]/suitcase ['sjutkäis]/bag [bäg]

BANKEN & GELD

Bank/Geldautomat	bank [bänk]/ATM [äi ti äm]/cash machine ['käschməschin]
Geheimzahl	pin [pin]
Ich möchte ... Euro wechseln.	I'd like to change ... Euro. [aid laik tu tschäindsch ... iuhro]
bar/ec-Karte/Kreditkarte	cash [käsch]/ATM card [äi ti äm kahrd]/credit card [krädit kahrd]
Banknote/Münze	note [nout]/coin [koin]
Wechselgeld	change [tschäindsch]

TELEKOMMUNIKATION & MEDIEN

Ich suche eine Prepaidkarte.	I'm looking for a prepaid card. [aim 'lucking fohr ə 'pripäid kahd]
Wo finde ich einen Internetzugang?	Where can I find internet access? [wär känn ai faind 'internet 'äkzäss?]
Brauche ich eine spezielle Vorwahl?	Do I need a special area code? [du ai nihd ə 'späschəl 'äria koud?]
Computer/Batterie/Akku	computer [komp'jutə]/battery ['bättəri]/rechargeable battery [ri'tschahdschəbəl 'bättəri]
At-Zeichen („Klammeraffe")	at symbol [ät 'simbəl]
Internetanschluss/WLAN	internet connection ['internet kə'näktschən]/Wifi [waifai] (auch: Wireless LAN ['waərläss lan])
E-Mail/Datei/ausdrucken	email ['imäil]/file [fail]/print [print]

ZAHLEN

0	zero ['sirou]	18	eighteen [äi'tihn]
1	one [wan]	19	nineteen [nain'tihn]
2	two [tuh]	20	twenty ['twänti]
3	three [θri]	21	twenty-one ['twänti 'wan]
4	four [fohr]	30	thirty [θör'ti]
5	five [faiw]	40	fourty [fohr'ti]
6	six [siks]	50	fifty [fif'ti]
7	seven ['säwən]	60	sixty [siks'ti]
8	eight [äit]	70	seventy ['säwənti]
9	nine [nain]	80	eighty ['äiti]
10	ten [tän]	90	ninety ['nainti]
11	eleven [i'läwn]	100	(one) hundred [('wan) 'handrəd]
12	twelve [twälw]	200	two hundred ['tuh 'handrəd]
13	thirteen [θör'tihn]	1000	(one) thousand [('wan) θausənd]
14	fourteen [fohr'tihn]	2000	two thousand ['tuh θausənd]
15	fifteen [fif'tihn]	10000	ten thousand ['tän θausənd]
16	sixteen [siks'tihn]	1/2	a/one half [ə/wan 'hahf]
17	seventeen ['säwəntihn]	1/4	a/one quarter [ə/wan 'kwohtə]

CITYATLAS

Verlauf der Erlebnistour „Perfekt im Überblick"
Verlauf der Erlebnistouren

Der Gesamtverlauf aller Touren ist auch in der herausnehmbaren Faltkarte eingetragen

 Bild: Oxford Circus

Unterwegs in London

Die Seiteneinteilung für den Cityatlas finden Sie auf dem hinteren Umschlag dieses Reiseführers

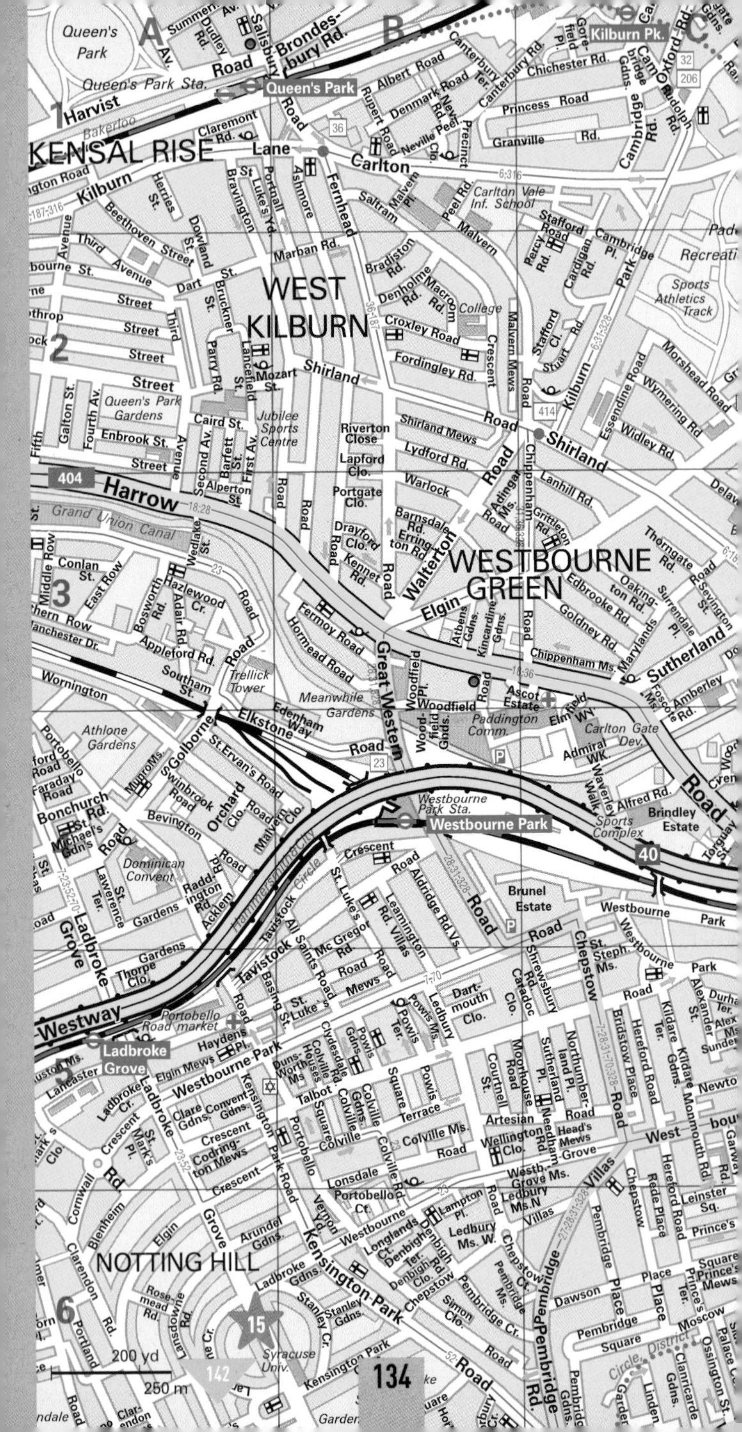
Queen's Park
Queen's Park Sta.
Queen's Park
Kilburn Pk.
KENSAL RISE
WEST KILBURN
WESTBOURNE GREEN
NOTTING HILL
Harvist Road
Brondesbury Rd.
Salisbury Road
Albert Road
Denmark Road
Canterbury Rd.
Chichester Rd.
Princess Road
Granville Rd.
Cambridge Rd.
Carlton Vale Inf. School
Kilburn Lane
Carlton
Saltram
Malvern
Fernhead
Ashmore
Portnall
Bravington
Herries St.
Beethoven Street
Dowland St.
Marban Rd.
Bradiston Rd.
Denholme Rd.
Macroom Rd.
College
Croxley Road
Fordingley Rd.
Shirland Road
Malvern Mews
Stafford Road
Cambridge Pl.
Kilburn Park
Recreation
Sports Athletics Track
Essendine Road
Wymering Rd.
Morshead Road
Widley Rd.
Queen's Park Gardens
Jubilee Sports Centre
Mozart St.
Caird St.
Enbrook St.
Galton St.
Fourth Av.
Third Avenue
Second Av.
First Av.
Riverton Close
Lapford Clo.
Portgate Clo.
Drayford Clo.
Kennet Rd.
Shirland Mews
Lydford Rd.
Warlock
Barnsdale Rd.
Errington Rd.
Walterton
Elgin
Chippenham Road
Lanhill Rd.
Grittleton Rd.
Thorngate Rd.
Edbrooke Rd.
Oakington Rd.
Goldney Rd.
Marylands
Sutherland
Harrow Road
Grand Union Canal
Conlan St.
East Row
Middle Row
Hazlewood Cr.
Bosworth Rd.
Adair Rd.
Appleford Rd.
Southam St.
Trellick Tower
Wornington
Fermoy Road
Hormead Road
Great Western Road
Meanwhile Gardens
Edenham Way
Elkstone
Woodfield Pl.
Woodfield Gdns.
Ascot Estate
Paddington Comm.
Elmfield Wy
Carlton Gate Dev.
Admiral WK.
Waverley Walk
Alfred Rd.
Brindley Estate
Sports Complex
Athlone Gardens
Golborne
St. Ervan's Road
Portobello Road
Faraday Road
Bonchurch Rd.
Swinbrook Road
Bevington
Orchard Clo.
Malvern Clo.
Westbourne Park Sta.
Westbourne Park
Dominican Convent
St. Lawrence Ter.
Raddington Rd.
Acklam
Hammersmith & City
Circle
Crescent
St. Luke's Road
Aldridge Rd. Vs.
Leamington Rd. Villas
Brunel Estate
Westbourne Park
Ladbroke Grove
Gardens
Thorpe Clo.
Tavistock
All Saints Road
Mc Gregor Rd.
Chepstow Road
Shrewsbury Rd.
Catadoc Clo.
Dartmouth Clo.
Ledbury
Westway
Portobello Road market
Haydens Pl.
Ladbroke Grove
Lancaster
Elgin Mews
Westbourne Park
Kensington Park Road
Colville Houses
Powis Sq.
Powis Terrace
Talbot Sq.
Clydesdale Rd.
Colville Terrace
Colville Ms.
Courtnell St.
Moorhouse Road
Sutherland Pl.
Northumberland Pl.
Artesian Road
Needham Rd.
Wellington Clo.
Head's Mews
Westbourne Grove
Westb. Grove Ms.
Ledbury Ms.N
Ledbury Ms. W.
Chepstow Villas
Hereford Road
Bridstow Place
Kildare Ter.
Kildare Gdns.
Monmouth Rd.
Leinster Sq.
Prince's Square
Prince's Mews
Rede Place
Chepstow Place
Pembridge Villas
Pembridge Place
Pembridge Square
Dawson Place
Moscow Rd.
Clanricarde Gdns.
Linden Gdns.
Ossington St.
Palace
Circle, District
Clare Gdns.
Convent Gdns.
Crescent
Codrington Mews
St. Mark's Pl.
Cornwall Cres.
Blenheim Cres.
Lonsdale Road
Portobello Ct.
Westbourne
Longlands Ct.
Denbigh Ter.
Denbigh Rd.
Denbigh Clo.
Lampton Pl.
Arundel Gdns.
Elgin Cres.
Kensington Park Road
Ladbroke Gdns.
Stanley Gdns.
Stanley Cr.
Chepstow Cr.
Pembridge Ms.
Pembridge Cr.
Simon Clo.
Pembridge Rd.
Rosemead Rd.
Lansdowne Rd.
Portland Rd.
Clarendon Rd.
Syracuse Univ.
200 yd
250 m
142

D
E
ST. JOHN'S
WOOD
St. John's Wood
Maida
Vale
Carlton
Hamilton
Abbey
Road
Place
Abercorn
Avenue
Hall
Grove End Road
Wellington
Hosp. of St.John & St.Elizabeth
Alma Square
Lord's Cricket Ground
(Middlesex CCC)
Lord's Tour & MCC Mus.
5205
Lodge
North Bank
Lisson
Grove
St.John's Wood
Maida Vale
MAIDA VALE
Lauderdale
Road
Crescent
Warrington
Clifton
Gdns.
Randolph
Warwick Avenue
Edgware
Church St. Est.
Fisherton St.Est.
Cockpit Th.
Lib.
Broadley
Bristol
Blomfield
Delamere
Atherstone Court
Little Venice
Canal Cafe Th.
Warwick Estate
John Aird Court
Techn Coll.
Paddington Green
Edgware Road
Bell
Harrow Rd.
Westway
(Elevated Highway)
Howard's Way
Harbet Rd
City of Westm. Coll.
Merchant Sq.
Sheldon Square
Waterside House
Paddington Basin
The Point
Westbourne
Royal Oak
Gloucester
Trinity Arts Centre
4206
Eastbourne
Paddington Station
St.Mary's Hospital
South Wharf Road
Praed St.
PADDINGTON
Paddington
Bishop's Bridge
Hallfield Estate
Hallfield Clinic
BAYSWATER
Whiteleys Ctr.
Queensway
Porchester Rd.
Inverness
Leinster
Gloucester
Sussex
Bathurst Mews
Hyde Park Gdns.
Strathearn
Central
Road
Craven Hill
Toy and Model Mus.
Lancaster Gate
Westbourne Gate
Marlborough Gate
Victoria Gate
Bayswater
Queensway
Flower Walk
West
Fountains
143

A
B
C
London Zoo
Regent's Park
Prince Albert Rd.
Barrow Hill Est.
Allitsen
Culworth St.
Newcourt St.
Greenberry St.
High St.
St. John's Wood Chu. Gardens
Outer Circle
Sports Pavilion & Tea House
Tea House
Winfield House
Nuffield Foundation
St. John's Lodge
Capel Manor College
Ramada Plaza
Vinery Villas
Park Road
North Bank
London Central Mosque
Hanover Gate
Abbey Lodge
Hanover Ter.
Kent Ter.
Children's Boating Pond
Boating Lake
The Holme
Triton Fountain
Open Air Theatre
Inner Circle
Chester Rd. Gates
Queen Mary's Rose Garden
The Garden Cafe
Jubilee Gates
New Lodge
Bandstand
Royal Coll. of Obstetr.&Gynaec.
London Business School
Sussex Place
Regent's College
Tennis Courts
Grove Gdns.
Lorne Gr.
Paveley
Casey Cl.
Alpha Cl.
Swain
Tresham Cr.
Lisson Green Estate
Jerome Ct.
Grendon Street
Lilestone
Mallory St.
Rossmore Road
Jubilee
Metropolitan
Clarence Ter.
Steiner Th.
Taunton Pl.
Gloucester Place
Baker Street
Sherlock Holmes Mus.
Allsop Place
York Bridge
York Gate
Roy. Acad. of Music
Bakerloo
Madame Tussauds
Lisson Street
Plympton St.
Ashbridge St.
Cockpit Th.
Salisbury St.
Lib.
Broadley Ter.
Harewood
Bland ford Sq.
Marylebone Station
Balcombe
Linhope
Ivor Pl.
Hamsworth Ms.
Taunton Ms.
Dorset Square
Melcombe St.
Chagford St.
Glentworth St.
Ashmill St.
Shroton St.
Hayes Pl.
Marylebone
Baker Street
Univ. of Westminster
Nottingham Pl.
Oldbury Pl.
High Street
Devonshire Pl.
Daventry St.
Ranston St.
Cosway St.
Bendall Ms.
Grove
Dorset Clo.
Town Hall
Bickenhall St.
Porter St.
Chiltern St.
Luxborough St.
Nottinghm. St.
Devonshire St.
Bell St.
Burne St.
Edgware Road
Marylebone Road
Salisbury Pl.
Knox St.
Upper Montagu St.
Wyndham
Enford St.
Thornton Pl.
Paddington Street
Moxon St.
Aybrook St.
Marylebone High St.
Weymouth St.
Chapel St.
Harcourt St.
Shillibeer Pl.
Homer St.
Seymour Pl.
York St.
Crawford Street
Montagu Ms.
Dorset St.
Manchester Street
Blandford Ms.
Kendall Pl.
New Cavendish St.
Vincent St.
Cross Keys Clo.
Edgware Road
Old Marylebone Rd.
Cabbell St.
Sussex Gdns.
Seymour Leis. Ctr.
Bryanston Pl.
Bryanston Square
Montagu Square
Gloucester Pl. Ms.
Rodmarton St.
Blandford St.
Wallace Collection
Spanish Pl.
Thayer St.
Marylebone Lane
Molyneux St.
Castlereagh St.
Nutford Pl.
Brown St.
Bryanston Ms. West
Montagu Ms. West
Bortman Clo.
Heinz Gallery
Portman Street
Adam St.
Manchester Square
Hinde St.
Mandeville Pl.
Water Gdns.
Norfolk Cres.
Cambridge Square
Porchester Pl.
Hyde Park Cres.
Oxford Square
George Street
Clenston Ms.
Wythburn Pl.
Brunswick Ms.
Berkeley St.
Quebec Ms.
Portman Square
Seymour St.
Fitzhardinge St.
Wigmore St.
Trinity Coll. of Mus.
Selfridges
Edward Ms.
Picton Pl.
Barrett St.
Orchard St.
Radnor Pl.
Hyde Park Square
Connaught Street
Kendal St.
Portsea Pl.
Connaught Square
Upper Berkeley Street
Cumberland Place
Seymour Place
Portman Ms.
Granville Pl.
Albion St.
Albion Clo.
Archery Clo.
Clarendon Pl.
Hyde Park Gdns.
Frederick Clo.
Stanhope Pl.
Connaught Pl.
Marble Arch
Oxford Street
North Row
Balderton St.
Lumley St.
Brown Hart Gdns.
Binney Street
Bayswater Road
Stanhope Gate
Cumberland Gate
Albion Gate
Carriage Drive
North Ride
Speakers' Corner
Clarendon Gate
Park Lane
Dunraven St.
Green Street
North Audley St.
Providence Ct.
George Yd.
Lees Pl.
Grosvenor Square
Roosevelt Memorial
9/11 Memorial Garden
Wood's Mews
Upper Brook St.
Blackburne's Ms.
Hyde Park
Crossrail under construction/2018
Brook Gate
Culross St.
Upper Grosvenor St.
Reeves Mews
South Audley St.
Adam's Row
Le Meridien Grosv.
Grosvenor
200 yd
250 m
144

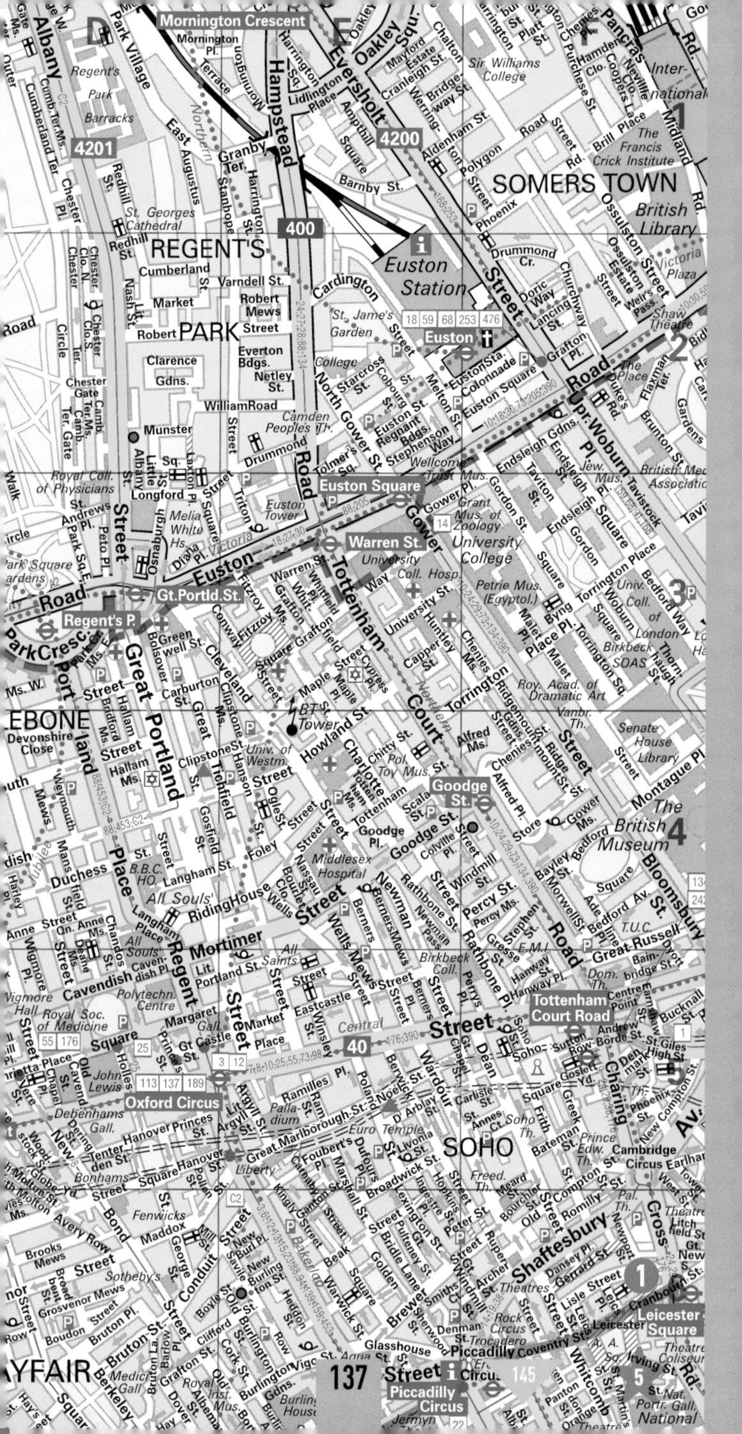
Mornington Crescent
Regent's Park Barracks
REGENT'S PARK
St. Georges Cathedral
Euston Station
SOMERS TOWN
British Library
The Francis Crick Institute
Sir Williams College
Euston
Euston Square
Warren St.
Gt.Portld.St.
Regent's P.
University College
Univ. Coll. Hosp.
Petrie Mus. (Egyptol.)
Roy. Acad. of Dramatic Art
Senate House Library
BT Tower
Pol. Toy Mus.
Goodge St.
The British Museum
Middlesex Hospital
B.B.C. HO.
All Souls'
Polytechn. Centre
Royal Soc. of Medicine
Oxford Circus
John Lewis
Debenhams Gall.
Tottenham Court Road
SOHO
Liberty
Palladium
Fenwicks
Sotheby's
Piccadilly Circus
Leicester Square
Trocadero
MAYFAIR
Burlington House
Euston Road
Tottenham Court Road
Great Portland Street
Oxford Street
Regent Street
Shaftesbury Av.
Charing Cross Rd.
Hampstead Road
Eversholt St.
Gower St.
Bloomsbury St.
4201
4200
400
40
137
145

King's Cross Central (proj.)
King's Cross Station
St. Pancras International
British Library
King's Cross St.Pancras
Thameslink Sta.
Pentonville Road
King's Cross Road
Caledonian Rd.
York Way
Wharfdale Rd.
Priory Green Estate
Risinghill St.
Donegal St.
White Lion St.
PENTONVILLE
Grimaldi Park
Percy Circus
Great Percy St.
FINSBURY
Euston Road
Argyle Sq.
Town Hall
Gray's Inn Road
Swinton St.
Acton St.
Nose & Ear Hosp.
Frederick St.
Ampton St.
ST. PANCRAS
Eastman Dental Hosp.
Wharton St.
Granville Sq.
Lloyd Baker St.
Farringdon Road
Mount Pleasant Mail Centre & Postal Museum
Exmouth Market
Cromer St.
Harrison St.
Regent Square
Sidmouth St.
Heathcote St.
Mecklenburgh Square
St. George's Gdns.
Foundling Museum
Coram's Fields
Wolfson Ctr.
St. Andrew's Gdns.
CLERKENWELL
Hunter St.
Marchmont Street
Tavistock Place
British Medical Association
Sch. of Pharmacy
Brunswick Centre
Brunswick Square
Woburn Place
Coram St.
Bernard St.
Russell Square
National Hosp. for Sick Children
Guilford St.
Doughty Street
Dickens Ho.
Lamb's Conduit St.
Rosebury Av.
Clerkenwell Road
BLOOMSBURY
Russell Square
Southampton Row
Theobalds Road
Gray's Inn Gardens
HOLBORN
London Weather Centre
Portpool Lane
Hatton Garden
Montague Pl.
The British Museum
Great Court
Bedford Place
Bloomsbury Square
Bloomsbury Way
Conway Hall
Red Lion Square
Art & Design Coll.
Chancery Lane
Holborn
High Holborn
Staple Inn
Sir John Soane's Museum
Lincoln's Inn
Lincoln's Inn Fields
New Oxford St.
Shaftesbury Theatre
Oasis Sports Ctr.
Kingsway
Freemasons' Hall
New London Theatre
Royal Coll. of Surgeons
Royal Courts of Justice
LSE
Peacock Th.
Shaftesbury Av.
St. Giles High St.
Cov. Garden
Royal Opera House
Theatre Royal
Aldwych
St. Clement Danes
Strand
Fleet St.
Temple Church
The Temple
Inner Temple
Middle Temple
Bush Ho.
India Ho.
Australia Ho.
Cov. Garden Market
Film Mus.
Transp. Mus.
Charing Cross Rd.
Leicester Square
Theatre Coliseum
Nat. Portr. Gall.
National
St. Martin's La.
William IV St.
Strand
Jubilee Hall
Adelphi Theatre
Courtauld Gallery
Somerset House
King's College
Temple
Temple Place
H.Q.S. Wellington
Victoria Embankment
Waterloo Bridge
The Yacht
Circle District
138

D
E
F
200 yd
250 m
Angel
Royal Bank of Scotland
City Road
Goswell Road
Old Red Lion Th.
Sadler's Wells Theatre
Spa Green Est.
Spencer Street
City University
Percival St.
The Triangle
St. John Street
Clerkenwell Green
St. John's Sq.
Aylesbury St.
Compton Street
Dallington St.
Northburgh Street
Gt. Sutton St.
St. Bartholomew's Medical School
Mus. of Order of St. John
The Charterhouse
Charterhouse Square
Farringdon
Farringdon Sta.
Cowcross Street
Charterhouse Street
Smithfield Market
Long Lane
Cloth Fair
St. Bartholmew the Great
West Smithfield
Hosier La.
Cock La.
Snow Hill
Holborn Viaduct
Farringdon St.
City Thameslink Station
Central Criminal Court
Newgate St.
Old Bailey
Stock Exchange
Paternoster Square
St. Paul's Cathedral
St. Pauls
Ludgate Hill
Ludgate Circus
New Bridge St.
Queen Victoria St.
Blackfriars
Blackfriars Station
Blackfriars Millenium Pier
Blackfriars Bridge
City Helistop
Upper Thames Street
Millennium Bridge
Thames
Bankside Gall.
Queen's Walk
Royal Coll. of Arms
Cannon Street
Mansion House
Cannon St.
Southwark Bridge
Queenhithe Dock
Vintner's Hall
Swan Lane Pier
Fishmonger's Hall
Monument
King William Street
Bank
Cornhill
Threadneedle St.
Royal Exch.
Mansion Ho.
Bank of England
Lothbury
Princes St.
Poultry
Cheapside
Bow Ch.
Guildhall
Gresham St.
Goldsmith's Hall
London Wall
Moorgate
Salters Hall
Barber Surgeons Hall
Museum of London
Postman Park
St. Bartholomew's Hosp.
St. Sepulchre's Church
Aldersgate St.
Barbican
The Barbican Centre
Arts & Conference Centre
Ironmongers Hall
Guildhall Sch. of Music
Beech St.
Chiswell Street
The Brewery
Silk Street
Ropemaker St.
Finsbury Square
Finsbury Circus
Univ. of London
South Pl.
Finsbury Pavement
Moorfields
EC
Bunhill Fields
Honourable Artillery Co.H.O.
City University
Exhibition Halls
Whitecross St.
Golden Lane Estate
Fortune St.
Roscoe Street Estate
Peabody Estate
Featherstone St.
Wesley's Hs. & Mus.
Tabernacle St.
Epworth St.
Leonard St.
ST. LUKE'S
Old Street
Old St.
St. Luke's Estate
Bath Street
Ironmonger Row
Central Street
Lever Street
King Square Estate
King Square Gdn.
Goswell Road
Finsb. Leisure Comp.
City Forum
Macclesfield Rd.
Moreland Street
City University
City Road Basin
Wenlock Basin
Wharf Road
Shepherdess Walk
Shepherdess Walk
Provost Estate
East Road
Provost Street
Cranston Estate
Canaletto Twr
501
5201
1
139
147

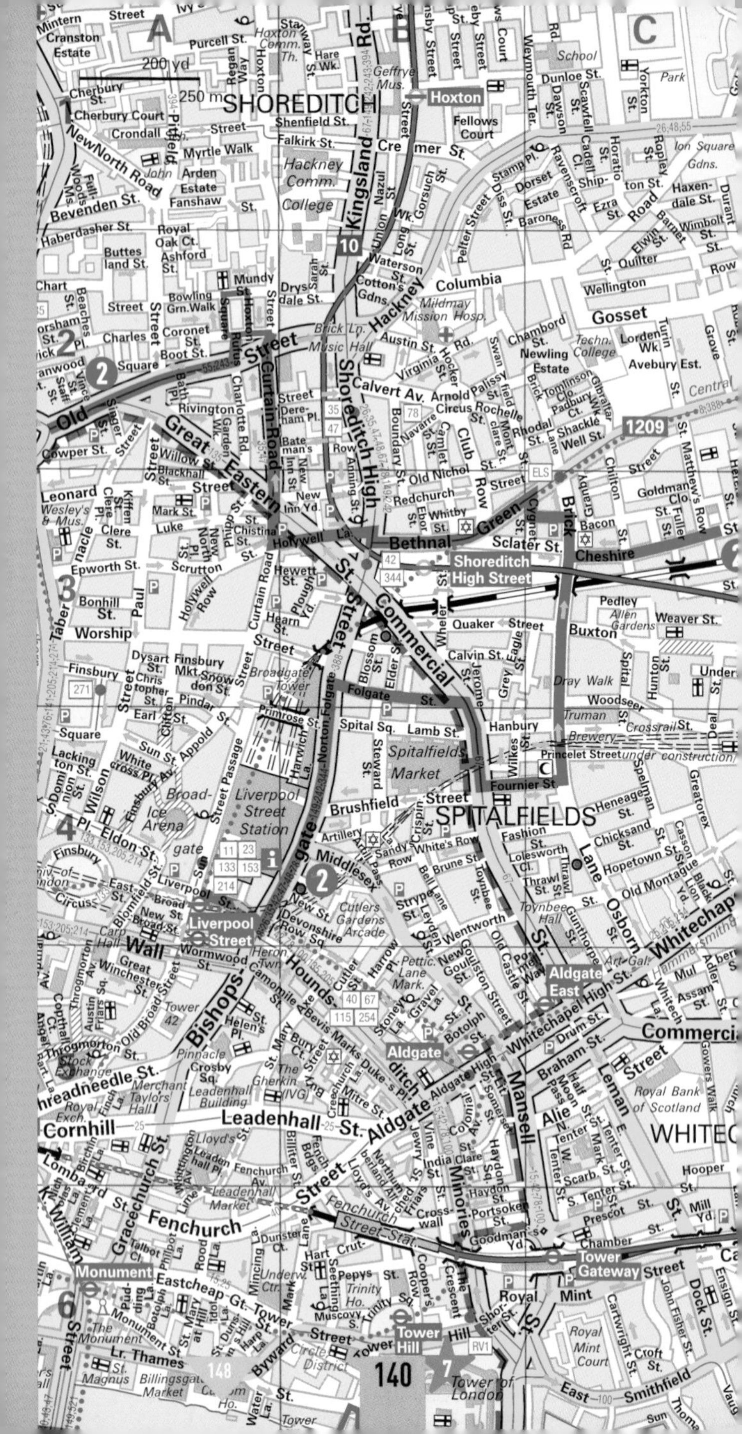
A
B
C
1
2
3
4
6
200 yd
250 m
SHOREDITCH
SPITALFIELDS
WHITEC
Hoxton
Shoreditch High Street
Liverpool Street
Aldgate
Aldgate East
Tower Gateway
Tower Hill
Monument
Liverpool Street Station
Spitalfields Market
Hackney Comm. College
Mildmay Mission Hosp.
Geffrye Mus.
Wesley's Mus.
Broadgate Ice Arena
Broadgate Tower
Petticoat Lane Mark.
The Gherkin (IVG)
Lloyd's
Leadenhall Market
Leadenhall Building
Royal Exch.
Stock Exchange
Tower 42
Pinnacle
Toynbee Hall
Royal Bank of Scotland
Royal Mint Court
Tower of London
Trinity Ho.
The Monument
Billingsgate Market
Kingsland Rd.
Shoreditch High St.
Commercial St.
Bethnal Green Rd.
Great Eastern Street
Old Street
Curtain Road
City Road
Bishopsgate
Norton Folgate
Brick Lane
Whitechapel High St.
Commercial Rd.
Leman Street
Mansell St.
Minories
Aldgate High St.
Houndsditch
Leadenhall St.
Fenchurch Street
Fenchurch Street Stat.
Cornhill
Lombard St.
Gracechurch St.
Eastcheap
Gt. Tower St.
Lr. Thames St.
Byward St.
Tower Hill
East Smithfield
Royal Mint St.
Cheshire St.
Sclater St.
Hanbury St.
Fournier St.
Princelet Street
Wentworth St.
Middlesex St.
Threadneedle St.
London Wall
Finsbury Circus
Finsbury Square
Worship St.
Columbia
Gosset
Arnold Circus
10
1209
148
140

D
E
F
1
2
3
4
5
6
Bishop's Way
Parmiter St.
Russia La.
Bonner Rd.
Robinson Rd.
Approach Road
London Chest Hosp.
St. James Av.
Sewardstone Road
Park View Estate
Emma St.
Cambridge Heath Road
Cambridge Heath Sta.
Felix St.
Clare St.
Cambridge Centre St.
Minerva St.
Treadway St.
Temple St.
Mansford St.
Claredale St.
Minerva Estate
Cres.
Canrobert St.
Teesdale St.
Patriot Sq.
Peel Gro.
York Hall Leisure Centre
Old Ford Road
Cyprus St.
Moravian St.
Royston St.
Globe Rd.
Bonner St.
Mace Street
Tybe St.
Twig Folly Cl.
Hartley St.
Smart St.
Usk St.
Peters Clo.
Nelson Gdns.
School
Poyser St.
St. Judes Rd.
V&A Museum of Childhood
Victoria Park Sq.
Burnham St.
Kirkwall Pl.
Old Bethnal Green Road
Middleton St.
Clarkson St.
Hollybush Gar.
Punderson's Gar.
Ellsworth St.
Morpeth St.
Knottisford St.
Digby St.
Bonwell St.
Warley St.
Meath G
Pollard Row
Pollard St.
Wear Pl.
Street
Roman Road
Bethnal Green
Sceptre Rd.
Walter St.
Portman Pl.
Moody St.
Pott St.
Birkbeck St.
Cornwall Av.
Viaduct St.
Viaduct Pl.
Corfield St.
shire St.
Witan St.
Braintree St.
Wessex St.
Bancroft Rd.
Portelet Rd.
Grantley St.
BETHNAL GREEN
Glass St.
Herald St.
Malcolm Pl.
Mantus Rd.
Rickman St.
Leatherd St.
Massingham St.
Carlton Sq.
Holton St.
Vallance Rd.
Hague St.
Weavers Fields
Mape St.
Finnis St.
Wilmot St.
Lane
Mantus Clo.
Hadleigh Clo.
Ibbot St.
Argyle Rd.
Park
Cheshire St.
Three Colts
Lang St.
Colebert Av.
Tollet St.
Street
Bethnal Green Sta.
Cudworth St.
Coventry Rd.
Buckhurst St.
Wickford St.
Malcolm Rd.
Cephas Street
Edwin St.
Boyton Clo.
Alderney Road
Tent St.
Brady St.
Barnsley St.
Somerford St.
Collingwood St.
Hemming St.
Scoit St.
Cephas
Nicholas Rd.
Osier St.
Stayners Rd.
Colling-wood Estate
Headlam St.
Cleveland Way
Anchor Retail Park
Road
Selby St.
Surma Cl.
Granary Rd.
Burial Ground
Willen Clo.
Vaudrey Clo.
Bellevue Pl.
Stepney Green
Beaumont Gro.
White Horse
Louisa St.
Maria Ter.
Beaumont Square
Erne
Mercer St.
Darling Row
Key Clo.
Barosey Pl.
Sports Centre
Lomas St.
Durward St.
Winthrop St.
Mile End Road
O'Leary Sq.
Assembly Passage
Hannibal Rd.
Hayfield Passage
Stepney Green
Cressy Pl.
Tinsley Rd.
London Indep. Hosp.
Recto Square
Whitechapel
Sidney St.
Adelina Gro.
Redmans Rd.
Row
Regal Clo.
Street
Raven Row
Halcrow St.
Lindley St.
Smithy St.
Stifford Est.
Stepney Green
Diggon St.
Copley St.
Garden St.
106 205 ELS
Royal London Hosp.
E. Mount St.
Cavell St.
903
Sidney St. Est.
Clichy Est.
Sketchley Theatre
Mount Ter.
New Road
Stepney Way
Museum
Newark St.
Ash St.
Turner St.
Walden St.
Philpot St.
Square
Ford St.
Clark Street
Street
Jubilee Street
Jamaica St.
Wellesley St.
Parfett St.
Myrdle St.
Romford St.
Settles St.
Foedham St.
Varden St.
Nelson St.
Damien St.
Sidney Street Estate
Musbury St.
TOWER HAMLETS
Aylward
W. Arbour Sq.
E. Arbour St.
Dunelm St.
Senrab St.
Cornwood Dr.
Arbour Sq.
Chudleigh
Old Church Rd.
Batty St.
Christian St.
Hessel St.
Gannon Street
Richard St.
Watney Mkt.
Dean St.
Cross St.
Lukin St.
Commercial Road
Head St.
13
Burslem St.
Bigland St.
339
Tarling St.
Sheridan St.
Brinsley St.
Martha St.
John St.
Harding St.
Devon St.
Havering St.
Albert Gdns.
Stepney Causeway
EL
Stutfield St.
Golding St.
Wicker St.
Ponier St.
Walburgh St.
Bigland Est.
Morris St.
Watney St.
Barnardo St.
Chapman St.
Shadwell Pl.
Martinau Est.
Jamaica
Shadwell
Shadwell St.
Sutton St.
King David La.
Elf Row
Brodlove La.
Glasshouse Fields
Schoolhouse Lane
Heckford St.
Hind-marsh Clo.
Crowder St.
Road
Dellow St.
100
Twine Ct.
Lane
Juniper St.
Glamis Place
Redcastle Cl.
Highway
SHADWELL
The Highway
West Gdns.
Newlands Quay
King Edward VII Mem. Park
Pennington St.
London Dock Development
Tobacco Dock
Wapping Lane
Sovereign Cl.
Princes Ct.
King Ms.
Shadwell Basin
Outdoor Centre
Entrance Shaft Shadwell New Ent.
Old Basin
149

A
B
C
1
2
3
4
5
6
134
15
13
KENSINGTON
WEST KENSINGTON
EARL'S COURT
Holland Park
Holland House
King George V Memorial
Cricket Ground
Holland Park School
Queen Elizabeth College
Town Hall
Design Museum Kensington (2016)
Leighton House Mus.
Cardinal Vaughan Mem. School
Central Tennis
Olympia
Notting Hill Gate
Holland Park
High Street Kensington
Kensington Olympia
West Kensington
Earl's Court
West Brompton
Gate Theat.
Earl's Court Exhibition Building
Earl's Court 2
Empress State Bldg.
Gibbs Green School
Depot
Queen's Club
Notting Hill Gate
Holland Park Avenue
Ladbroke Grove
Kensington Church Street
Campden Hill
Holland Road
Addison Road
Kensington High Street
Hammersmith Road
Warwick Road
Warwick Gdns.
Pembroke Rd.
Cromwell Road
Earl's Court Road
West Cromwell
Talgarth Road
North End Road
Lillie Road
Old Brompton
Abbotsbury Road
Phillimore Walk
Abingdon Villas
Edwardes Square
Nevern Square
Trebovir Road
Barons Court
Greyhound
Star
402
3220
315
4
3218
190
430
31
390
C1
C3
200 yd
250 m
142

E
F
135
North Walk
Inverness Ter. Gate
Black Lion Gate
Queensway
Bayswater Rd.
Lancaster Walk
Clock Tower
The Dial
Diana Mem. Playground
The Broad
Speke's Monument
Budge's
Peter Pan Statue
The Long Water
Buck Hill Walk
West Carriage Drive
Rima Statue
Magazine
Kensington
Physical Energy
Queens Temple
The Orangery
The Round Pond
Kensington Palace
Museum
Bandstand
Temple Gate
Restaurant
The Lido
Serpentine Gallery
Diana Memorial Fountain
Gardens
Rotten Row
Mount Gate
Kensington Palace Gdns.
Palace Green
Palace Avenue
Walk
The Flower Walk
Albert Memorial
Alexandra Gate
Palace Gate
Queen's Gate
South Carriage Drive
Kensington Road
Kensington Gore
Kensington Rd.
Prince's Gate
Ennismore
Royal Coll. of Art
Royal Albert Hall
Royal Geographical Society
Sikorski Museum
KNIGHTSBRIDGE
Young St.
Kensington Ct.
Kensington Court
Pr. of Wales Ter.
Kensington Road
De Vere Gardens
Palace Gate
Reston Pl.
Hyde Park Gate
Hyde Park Gate
Queen's Gate Ms.
Queen's
Jay Ms.
Kensington Gore
Cambridge Pl.
Albert Pl.
Thackeray St.
Ansdell St.
Kensington Sq.
Kensington Ct. Pl.
Douro Pl.
Canning Pass
Canning Pl.
Kensington Gate
Bremner Rd.
Prince Consort Road
Exhibition Road
Prince's Gardens
Goethe Inst.
Royal Coll. of Music
Ennismore Gardens Ms.
South End
St. Alban's Gro.
Victoria Gro.
Gloucester Road
Queen's Gate Ms.
Queen's Gate Terrace
Imperial College
Prince's Gate Mews
Holy Trinity
Sth. End Row
Stanford Road
Cottesmore Gdns.
Launceston Pl.
Petersham Pl.
Gore St.
Imperial College Road
Science Museum
Victoria & Albert Museum
Eldon Rd.
Kelso Place
Kynance Pl.
Kynance Ms.
Elvaston Place
Elvaston Ms.
Kingsley Ms.
Cornwall Ms.
Petersham Ms.
Petersham La.
RCA
Natural History Museum
Geological Mus.
Queen's Gate Pl.
Darwin Centre
Gilbert Coll.
The Oratory
Cornwall Gardens
Queen's Gate Gardens
Queen's Gate Pl. Ms.
Cromwell Gdns.
Osten Ms.
Grenville Pl.
Ms. S.
Southwell Gdns.
Cromwell Road
Ismaili Ctr.
Emperor's Gate
McLeod's Ms.
Lexham Gdns.
D. Lloyd Health Club
Circle
Stanhope Ms. E.
Stanhope Ms. W.
Queensberry Ms.
Queensberry Pl.
Fr. Univ. College
Cromwell Ms.
Cromwell Pl.
Thurloe Place
Thurloe Square
Thurloe St.
Alexander Pl.
South Terrace
Gloucester Road
Ashburn Ms.
Ashburn Gdns.
Queensberry Way
South Kensington
Pelham Street
Gaspar Ms.
Courtfield Gdns.
Astwood Ms.
Ashburn Place
Courtfield Rd.
Harrington Road
Stanhope Gdns.
SOUTH
Melton Ct.
Onslow Square
Pelham Pl.
Pelham Cr.
Collingham Pl.
Collingham Gardens
Int. Forum
Harrington Hall
Gardens
Stanhope Ms. S.
Manson Ms.
Reece Ms.
Bute St.
Manson Pl.
Sumner Place
Colbeck Ms.
Harrington Gardens
Clareville St.
Clareville Gro.
Christie's
Road
Collingham Road
KENSINGTON
Rosary Gdns.
Hereford Sq.
Cranley Pl.
Onslow Ms. W.
Onslow
Sydney Ms.
Sydney Pl.
Pond Place
Bury Walk
Sydney St.
Laverton Pl.
Hesper Mews
Bramham Gdns.
Wetherby Gdns.
Bina Gdns.
Dove Ms.
Brechin Pl.
Royal Marsden Hosp.
Oratory
Stewart's Gro.
Guthrie St.
Cale St.
Gledhow Gdns.
Old Brompton Road
Cranley Gardens
Cranley Mews
Onslow Gardens
Foulis Ter.
Neville St.
Dudmaston Ms.
Dovehouse
Bolton Gardens
Wetherby Ms.
Cresswell Gdns.
Drayton Gardens
Thistle Grove
Roland Gdns.
Roland Way
Ensor Ms.
Selwood Pl.
Lecky St.
Neville Ter.
Elm Pl.
South Parade
Chelsea Square
Royal Brompton
S. Bolton Gdns.
The Boltons
Cresswell Place
Evelyn Gardens
Queen's Elm Sq.
Old Church
Coleherne Court
The Little Boltons
Bolton Gdns. Ms.
Roland Gdns.
308
Manresa Rd.
School of Art
Chelsea College
Redcliffe Square
Redcliffe Gardens
Harcourt Ter.
Redcliffe Ms.
Priory Wk.
Harley Gdns.
Gilston Road
Fulham Road
Elm Park Gardens
Elm Park Road
Carlyle Square
Coleherne Rd.
Red
Westgate Ter.
Tregunter Road
Hollywood Road
Redcliffe Road
Seymour Walk
Milborne Gro.
Cavaye Pl.
Beaufort St.
Elm Park La.
Henniker Ms.
Callow St.
Elm Park
Mulberry Walk
Mallord St.
The Vale
Chelsea Park Gdns.
King's Road
Bramerton St.
3217
Ifield
Oakfield St.
Redcliffe St.
Finborough Rd.

A
B
C
136
West Carriage Drive
Nursery
New Lodge
Grosvenor Gate
Le Meridien Grosv. Hs.
Mount
Rex Pl.
Balfour Pl.
South Audley Street
Aldford St.
South
The Dorchester
Deanery St.
Tilney St.
Stanhope Gate
Bird Sanctuary
Rima Statue
H y d e
Ranger's Lodge
Ranger's Cottage
Norwegian / British Monument
Serpentine Lodge
4202
Park Lane
Serpentine
The Serpentine
The Lido
Diana Memorial Fountain
Restaurant
Holocaust Memorial
Bandstand
Achilles Statue
Queen Mother Gate
Road
Apsley House
Hyde Park Corner
1
2
3
4
5
6
14
Rotten Row
P a r k
Drive
Pr. of Wales Gate
Rutland Gate
Edinburgh Gate
Bowater Hs.
Albert Gate
South Carriage
Knightsbridge Barracks
Kensington Road
Knightsbridge
Grosvenor Cr. Ms.
Wilton Pl.
Wilton Row
Wilton Crescent
Grosvenor Cres
Pembroke Close
Halkin Street
Ennismore Gardens
European Acad.
Rutland Gate
Rutland Gdns.
Trevor Place
Trevor Square
Raphael St.
Lancelot Pl.
Sloane Street
Seville St.
Harriet Walk
Lowndes Square
William Ms.
Kinnerton St.
Belgrave Ms. Nth.
Belgrave Square Garden
Montpelier Sq.
Montpelier Walk
Montpelier Pl.
Montpelier St.
Relton Ms.
Cheval Place
Hans Pl.
Harrods
Hans Rd.
Basil St.
Herbert Cr.
Landon Pl.
Rysbrack St.
Pavilion Road
Motcomb St.
Halkin Pl.
W. Halkin St.
Lowndes Street
Cadogan Pl.
Belgrave Pl.
Chapel St.
Upper Belgrave St.
Holy Trinity
Brompton Square
Cottage Place
Brompton Pl.
Beaufort Gdns.
Beauchamp Pl.
Walton Pl.
Pont St. Ms.
Hans St.
Cadogan Street
Chesham Place
Lowndes Place
Lyall Ms.
Lyall St.
Mews North
The Oratory
Cromwell Gdns.
Egerton Terrace
Yeoman's Row
Ovington Square
Ovington Gdns.
Glynde Ms.
Pont Street
Shaffol Ms.
Cadogan Lane
Chesham St.
Eaton Place
Thurloe
Alexander Pl.
North Ter.
Brompton Road
Egerton Gardens
Egerton Cr.
Crescent Pl.
Ovington St.
Hasker St.
First St.
Lennox Gardens
Lennox Gdns. Ms.
Clabon Ms.
Cadogan Square
Moore St.
Cadogan Gate
Cadogan Place
Ellis St.
W. Eaton Pl.
Eaton Gate
King's Road
Elizabeth St.
Boscobel
South Ter.
Walton St.
Bulls Gdns.
Richards Pl.
Donne Pl.
Ives St.
Mossop St.
Milner St.
Rawlings St.
Halsey St.
District
Circle
Cadogan Gardens
Sloane Ter.
Eaton Terrace
Eaton Sq.
Minera Ms.
Chester Row
Pelham Street
Draycott Place
Denyer St.
Michelin Bldg
BROMPTON
Rosemoor St.
Draycott Ter.
Sloane Square
Cliveden Pl.
Royal Court Theatre
Sloane Sq.
319
Fulham Rd
Elystan Place
Lucan Pl.
Sloane Ave
Cadogan St.
Avenue
Symons St.
Culford Gdns.
Blacklands Ter.
Lincoln St.
Bourne Street
Holbein Pl.
Graham Ter.
Passmore St.
Ebury
Pond Place
Bury Walk
Sydney Street
Ixworth Pl.
Marlborough St.
Sutton Dwellings
Crammer Ct.
Whiteheads Gro.
Anderson St.
Coulson St.
Saatchi Gallery
Lt. Sloane St.
Sloane Gdns.
Holbein Ms.
Elystan Street
Elystan Place
St. Tryon
Bywater St.
Markham Square
Cheltenham Ter.
Franklins Row
Turks Row
Sloane Ct. W
Sloane Ct. E
Chelsea Bridge Road
Pimlico Road
Bloomfield Ter.
Ranelagh Gro.
Royal Brompton Hosp.
St. Luke's Street
Astel St.
Godfrey St.
Jubilee Place
Wellington Square
Walpole St.
Royal Avenue
Woodfall St.
St. Leonard's Terrace
Chelsea Barracks
Museum
Burton's Court
Britten Street
Chelsea Manor St.
Hemus Pl.
Bywater Pl.
CHELSEA
Radnor Walk
Smith Ter.
St. Ormond
London Gate
Light Horse Court
Ranelagh Gardens
School of Art
Manresa Rd.
3217
Swan Ct.
Flood St.
Shawfield St.
Tedworth Sq.
Tite St.
Ralston St.
Royal Hospital Road
College Court
Royal Chelsea Hospital
Chelsea Flower Show
Town Hall
Chelsea Manor Gdns.
Flood Walk
Redesdale St.
Redburn St.
Christchurch Street
Caversham St.
Chelsea Gate
National Army Museum
Great Hall
Chelsea Embankment
King's Road
Oakley St.
Margaretta Ter.
Oakley Gdns.
Phene St.
Alpha Pl.
St. Loo Av.
Glebe Place
Bramerton St.

137
National Gallery
Royal Academy
Burlington House
Piccadilly
Green Park
Haymarket
Pall Mall
Trafalgar Sq
Nelson's Column
Regent St.
Jermyn Street
St. James's Square
Her Majesty's
ICA
Mall Galls
Admiralty Arch
Ministry of Defence
Horse Guards Parade
ST. JAMES'S
Spencer House
Marlborough Ho.
Privy Council
St. James's Palace
Clarence House
Lancaster House
St. James's Park
Park Lake
Duck Island
Inn the Park
The Mall
WC
Constitution Hill
Buckingham Palace
Buckingham Palace Gardens
Queen Victoria Memorial
CITY OF WESTMINSTER
Birdcage Walk
The Guards Chapel
The Guards Mus.
Wellington Barracks
Ministry of Justice
The Queen's Gallery
The Royal Mews
Petty France
St. James's Park
Tothill St.
Broadway
Caxton Hall
Victoria Street
Buckingham Palace Road
Victoria
Victoria Station
Westminster Cath.
Vauxhall Bridge Road
302
3214
3213
202
3212
Horseferry Road
Marsham Street
Great Peter Street
Dept. for Transport
Westminster School Playing Field
Vincent Square
Gordon Hosp.
Lillington Gdns. Estate
Eccleston Square
Warwick Square
Belgrave Road
PIMLICO
Pimlico
Bessborough St.
Lupus Street
Churchill Gardens Estate
Grosvenor Road
Railway Sheds
Pimlico Gardens
Westminster Boat Wharf
200 yd
250 m
1
2
3
4
5
6

B
C
3
William IV St.
Nat. Portr. Gall.
National Gallery
St. Martin-in-the-Fields
Trafalgar Square
Nelson's Column
138
Charing Cross
Embankment
Embankment Pier
Cleopatra's Needle
Victoria Embankm. Gardens
T.S. Queen Mary
Savoy Pl.
Waterloo Bridge
King's Reach
Gabriel's Wharf
London Television Centre (ITV)
National Theatre
BFI National Film Theatre
Queen Elizabeth Hall
Festival Pier
Golden Jubilee Bridge
Hungerford Bridge
South Bank Centre
Hayward Gallery
Roy. Festival Hall
Upper Ground
Stamford St.
Cornwall Road
Coin St.
Doon St.
King's Coll
IMAX
Concert Hall App.
Northumberland Av.
Craven St.
Villiers St.
Whitehall
Whitehall Pl.
Whitehall Ct.
Great Scotland Yd.
Admiralty Arch
Spring Gdns.
Dept. of Energy & Climate Ch.
Ministry of Defence
Min. of Defence
Whitehall Garden
R.S. Hispaniola
Tattershall Castle
Bakerloo
Household Cavalry Mus.
Horse Guards Parade
Horse Guards Av.
Banqueting House
Guards
Cabinet Office
Ministry of Defence
Victoria Embankment
London Eye (Millennium Wheel)
Jubilee Gardens
Shell Centre
SOUTH BANK
York Road
Waterloo Station national
Waterloo Road
Mepham St.
Downing St.
Foreign and Commonwealth Office
Richmond Ter.
Scotland Yard
Richmond House
Waterloo Millenium Pier
Westminster Millenium Pier
London Dungeon
County Hall
Movieum
SeaLife London Aquarium
Forum Magnum
Chicheley St.
Leake St.
Belvedere Rd.
Addington St.
King Charles St.
Parliament St.
Cannon Row
H.M. Treasury
War Rooms
Westminster
St. George St.
Parliament Square
Bridge St.
Westminster Bridge
New Palace Yard
Elisabeth Tower (Big Ben)
Westminster Hall
Houses of Parliament
QE II Conf. Cent.
Supreme Court
Storey's Gate
Westminster Abbey
Dean's Yard
Jewel Tower
Westminster School
Great Smith St.
Gt. College St.
Victoria Tower
Burghers of Calais
Victoria Tower Gardens
St. Margaret St.
Abingdon St.
Millbank
Fl. Nightingale Mus.
St. Thomas' Hospital
LAMBETH
Westminster Bridge Rd.
Lambeth North
Baylis Rd.
Lower Marsh
Frazier St.
Murphy St.
Upr. Marsh
Royal St.
Newnham Ter.
Carlisle Lane
Kennington Road
1 Centaur St.
2 Virgil St.
Archbishop's Park
St. Thomas's Medical & Dental Schools
Lambeth Palace Road
Lambeth Palace Garden
Lambeth Palace
Cosser St.
McAuley Cl.
Morton Pl.
Hercules Rd.
Sidford Pl.
China Walk Estate
Cowley St.
Lord N. St.
Smith Square
Dean Stanley St.
St. Johns Concert Hall
Buxton Mem.
Marsham St.
Tufton St.
Romney St.
DEFRA
Horseferry Road
Lambeth Bridge
Lambeth Pier
Garden Museum
Lambeth Road
Lambeth High St.
Norfolk Row
Old Paradise St.
Pratt Wk.
Sail St.
Juxon St.
Walnut Tree Walk
Fitzalan St.
Lambeth Walk
St. John's Gardens
Page Street
Thorney St.
Thames Ho.
Millbank Tower
Whitgift St.
Fire Brigade H.Q.
Black Prince Rd.
Salamanca St.
Newport St.
Ravent Rd.
Gibson Road
Lollard Street
Lambeth War Open Space
Ethelred Estate
Clore Gallery
Millbank Millenium Pier
Tate Britain
Atterbury St.
John Islip St.
Coll. of Art & Design
River Thames
Albert Embankment
Randall Rd.
Randall Row
Nat. Crime Agency
Tinworth St.
Jonathan St.
Vauxhall Walk
VAUXHALL
Sancroft St.
Orsett St.
Newburn Street
Courtenay Street
Cardigan St.
Stables Way
Vauxhall Street
Glasshouse Walk
Laud St.
Tyers Ter.
Vauxhall Gdns. Est.
Spring Gdns
Goding St.
Vauxhall Bridge
Government Offices (MI6)
Bridgefoot
Vauxhall Station
Kennington Lane
Auckland St.
Glyn St.
Durham St.
Oval Way
Farnham Royal
Kennington Gro.
Gasholder Pl.
Montford Place
Gas Works
Kennington Oval
The Oval
Clayton St.
Harleyford Road
Dolland St.
Loughborough St.
Aveline St.
6
200 yd
250 m
St. George Wharf Tower
Lane Rd.
3212
3036
3204
3205
23

H.M. Customs
Bankside Gall.
Queen's Walk
Pier
Shakesp. Globe Exhibition
Globe Theatre
Tate Modern
1 Zoar St.
Southwark Bridge
Golden Hind
Glaziers Hall
London Bridge
Financial Times
Vinopolis
Clink St.
Winch. Pal.
Winch. Wk.
Montag. Cl.
Cath.
Tooley St.
Duke St. Hill
Hopton St.
Hopton Street
Holland St.
Hopton Estate
Sumner St.
Skin Mkt. Pl.
Emerson St.
N. Globe Walk
Bear Gdns.
Rose All.
Rose Th.
Park St.
SOUTHWARK
Clink Prison Mus.
Stoney St.
Cathedral St.
St. Cristopher House
Sumner Bdgs.
Great Guildford St.
Southwark Street
Southwark Bridge Road
Thrale St.
Tea & Coffee Mus.
Borough Market
London Bridge
Theat.& Mus.
King's Hd. Yd.
St. Thomas St.
Joiner St.
Stamford Street
Paris Gdn.
Hatfields
Colombo St.
Burrell St.
Chancel St.
Bear La.
Prices St.
Meymott St.
Nicholson St.
Lavington St.
Union Theatre
Ewer St.
Southwark Gro.
Joan St.
East St.
Scoresby St.
Southwark
Jubilee
Maidstone Bdgs. Mews
Borough High Street
Talbot Yd.
Shepherds House
Guy's Hospital
King's College
Orbit Ho.
Union Street
Jerwood Space
Copperfield Street
Pepper St.
Red Cross Way
Stanhope Bdgs.
Newcomen St.
Mermaid Ct.
Snowsfields
The Cut
Burrows Ms.
Nelson Square
Loman St.
Fire Mus.
Doyce St.
Ayres St.
Lit. Dorrit Ct.
Tennis St.
Bowling Gn. Pl.
Gt. Maze Pond
Kipling
Short St.
Surrey Row
Suffolk St.
Sawyer St.
Leigh Hunt St.
Weller St.
Mint St.
Marshalsea Rd.
Lib.
Baden Pl.
Crosby Row
Guy St.
Boundary Row
Pocock St.
King's Bench St.
Rushworth St.
Sturge St.
Lant St.
St. George's R.C. Cathedral
Porlock St.
Chaplin Clo.
Valentine Pl.
Glasshill St.
Sudrey St.
Bittern St.
Toulmin St.
Sancty St.
Borough
Long Lane
Webber Row
Peabody Sq.
Blackfriars Road
Lancaster St.
Silex St.
Boyfield St.
Belvedere Bdgs.
Bridge
Collinson St.
Stones End St.
Northern
Avon Pl.
Great Dover Street
Silvester St.
Tabard St.
Sterry St.
South Pl.
Hankey Pl.
Pilgrimage St.
Manciple St.
Staple St.
Davidge St.
Milcote St.
King James St.
Scovell Rd.
Borough Road
Causeway
Trio Pl.
Trinity Ch.
Swan St.
Cole St.
Globe St.
Tabard Gardens
Tabard Gardens Estate
Library St.
Rotary St.
Kell St.
South Bank Univ.
Harper Rd.
Inn. Lon. Crown Court
Univ.
Trinity Square
Becket St.
Kings College
London Road
Keyworth St.
Th.-Doyle St.
Southwark
Avonmouth St.
Tiverton St.
Brockham St.
Dickens Sq.
Merrick Square
Pardoner St.
St. George's R.C. Cathedral
Jude St.
Gladstone St.
Colnbrook St.
Garden Row
Eden Coll.
Ontario St.
Gaunt St.
Newington Gardens
Rockingham Estate
Spurgeon St.
Burbage Clo.
Lawson Estate
Law Street
Gaywood Estate
Gaywood St.
Geraldine St.
Skipton St.
Newington Causeway
Bath Ter.
Falmouth Road
Deverell Street
Burge St.
Court Busin. Ctr.
Rockingham St.
Meadow Row
Arch St.
West Square
Austral St.
Orient St.
Hayles Street
Elliott's Row
Oswin Street
Coll. of Printing
Elephant & Castle
New Kent Road
County Street
Theobald St.
Bartholomew St.
Metrop. Tabernacle
Deacon Way
Elephant & Castle Station
Rodney Pl.
Balfour Street
Searles Road
NEWINGTON
Drive
Longville Rd.
Pastor St.
St. Gabriel St.
Rec. Ctr.
Munton Rd.
Elba Pl.
Victory Pl.
Henshaw St.
Castlebrook Cl.
Holyoak Rd.
Dante Rd.
Church Yd. Row
Heygate Street
Rodney Road
Chatham St.
Hemp. Wk.
Salisb. Close
Hillery Clo.
Darwin St.
Barlow St.
G.Mathers Rd.
Newington Butts
Walworth Road
Brandon St.
Wansey St.
Content St.
Crail Row
Catesby St.
Elsted St.
Renfrew Road
Hampton St.
Steedman St.
Robert Dashwood Way
Cuming Mus. (closed)
Chaleston St.
Wadding St.
Stead St.
Orb Street
Flint St.
Knights Wk.
Kennington Lane
Crampton St.
Larcom St.
Welcorde Av.
Dean's Bdgs.
Fontenoy Pass
Kennington Road
Penton St.
Peacock Street
1 Ethel St.
Browning Street
Morecambe St.
Blendon Row
Townley St.
Opal St.
Lyric Pl.
Iliffe St.
Iliffe Yd.
Amelia Street
Browning St.
King & Queen St.
Dawes Street
Cottington St.
Alberta St.
Angle St.
Pilton Pl.
Portland Street
Inf. Army Air Force Inst. Depot
Kennington
Alberta Estate
Suffield Rd.
Berryfield Rd.
Occupation Rd.
East St.
Bronti Close
Blackwood St.
Trafalgar St.
Wooler Street
Aylesbury Rd.
Brettell St.
Jennings Way
Ambergate St.
Tarver Rd.
Delverton Rd.
Manor Pl.
Borrett Clo.
Penrose St.
Walworth Pl.
Cadiz St.
Date St.
Faraday Garden
Burton Gro.
Villa St.
Inville Rd.
Braganza Street
Marsland Rd.
Pasley Rd.
Sturgeon Rd.
Penrose Gro.
Carter Pl.
Liverpool Gro.
Park
Street
Gaza St.
Sharsted St.
Doddington Grove
Surrey Gardens
Penrose St.
Sutherland Walk
Macleod St.
Lytham St.
Roland Way
De Laune St.
Faunce St.
Chapter Rd.
Fredk. Rd.
Carter St.
Sutherland Sq.
Merrow St.
Phelp St.
Sondes St.
Harmsworth St.
Doddington Pl.
Lorrimore Square
Fielding St.
Empress St.
Arnside St.
Queen's Row
Hopwood Rd.
Kennington Pk. Pl.
Cook's Rd.
Westcott Rd.
Fleming Rd.
Lorrimore Road
Peter St.
Drafford St.
Gateway
Westmoreland Rd.
Royal Rd.
Place

A
B
C
140
7
10
3
2
3
4
5
6
100
200
343
168
Tower of London
Tower Millenium Pier
Traitor's Gate
London Bridge City Pier
London Bridge
London Bridge Hosp.
Hay's Galleria
H.M.S. Belfast
Southwark Crown Ctr.
River
Upper Pool
The Scoop
City Hall
Potters Fields Park
Tower Bridge
Tower Bridge App.
St. Katharine's Way
St. Katharine's Dock
St. Katharine's Pier
West
East
Mews
Thomas More
Sun
Nesham St.
St. Anthonys Cl.
Burr Cl.
Carron Wharf
Hermitage Entrance & Wharf
Horselydown Old Stairs
Butler's Wharf
Georges Stairs
Design Museum
Tower Bridge Mus.
Tooley St.
Duke St. Hill
The Shard
London Bridge Station
St. Thomas Street
King's Coll. Greenw.
Weston
Melior St.
Snows-fields
Kipling Estate
Guy St.
Hamilton Sq.
Tyers Estate
Tyers Gate
Leathermkt. Gdns.
Leathermarket St.
Leather Market
Morocco St.
Lamb Wk
Bermondsey
Whites Grounds
Whites Gr. Est
Fash. Mus.
Crucifix La.
Tanner St.
Magdalena St.
Shand St.
Barnham St.
Druid Street
Weavers Lane
Vine La.
Abbots St.
Braidw St.
Battle Br. La.
English Grds.
Morgan's Lane
Hay's La.
Queen
St. John's Churchyard
Horsleydown
Boss St.
Shad Thames
Gainsford Street
Curlew Street
Maguire St.
Eliza-beth St.
Latone
Three Oak La.
Fair St.
St. John's Estate
Mill Stairs
Bermondsey Wall West
Jacob St.
BERMONDSEY
Wolseley St.
Dock Head
Dickens Est.
Baker's Row
George Row
John Felton Rd.
East La.
Scott
Jamaica Street
Arnold
Sweeney Ct.
Estate
Tanner
Maltby
Pope St.
St. Saviours Estate
Mill-stream Rd.
Dickens Est.
Drill Hall
Old Jamaica Road
Marine St.
Enid Street
Frean St.
Neckinger
Neckinger Estate
Long Lane
Staple St.
Tabard Gardens Estate
Elim Estate
Wild's Rents
Decima St.
Cluny Pl.
Meakin Estate
Newhams Row
Pur-brook St.
Riley
Stevens St.
Abbey Street
Bermondsey Sq.
Long Wk.
Grange Walk
Grange Road
Grange Yd.
The Grange
Fendall St.
Crimscott St.
Berm. Town Hall
Spa Road
Bermondsey Spa
Keyse Rd.
Dunlop Pl.
Vauban St.
Vauban Estate
Goodwin Cl.
Lucey
Evelina Lowe
Yalding Rd.
Rouel Rd.
Robin Ct.
Henley Drive
Pardoner St.
Law Street
Potier St.
Rothsay St.
Rephidim St.
Alice St.
Great Dover St.
Prioress St.
Green Wk.
Tower Bridge Road
Swan Mead
Webb St.
Wood's Pl.
Willow Walk
Bacon Gro.
Kintore Way
Curtis St.
Setchell Way
Setchell Road
Alscot Road
Aberdour St.
Leroy St.
Guinness Sq.
Searles Road
Chatham St.
Page's
SE
Mandela
Bricklayer's Arms Distrib. Centre
Southwark Park Road
Longfield Estate
Gro.
Longley St.
Balaclava Rd.
Fort Rd.
Alma
Reverdy Road
Thorborn Sq.
Darwin
Barlow St.
Mason Street
Townsend St.
Comus Pl.
Congreve Street
Massinger St.
Stanford Pl.
Old Kent Road
Catesby St.
Osborne St.
Beckway
Elsted
Tatum Street
Halpin Pl.
Flint St.
Tishdall Pl.
Hendre Rd.
Marcia Road
Keats Cl.
Milton Cl.
Way
Chaucer Dr.
Lynton
Bushw. Dr
Cadet Dr.
Welsford St.
Alder-minster Rd.
East Street
Dawes Street
Sedan Way
Exon St.
Freemantle St.
Surrey Ter.
Minnow St.
Madron St.
Flinton St.
Surrey Square
Aldb. St.
Dunton Road
Earl Rd.
Hum-phrey St.
Rowcross St.
Astley St.
Brodie St.
Coopers Rd.
Oxley Close
Rolls
Avondale Square
Surrey Square Park
Alvey St.
Alsace Rd.
Upnor Way
Kinglake St.
Smyrk's Rd.
Mina
Shorncliffe Rd.
Aylesbury Rd.
Thurlow Street
Wendover Road
Kinglake
Bagshot St.
Mawbey Pl.
Mawbey Rd.
Mawbey Estate
Brettell St.
Villa
Inville Road
Wendover Walk
Beaconsfield Rd.
Oakley Pl.
Nile Ter.
Trafalgar Avenue
Burgess Park
Glengall
Ossory Rd.
Malt St.
6
WALWORTH
Hopwood Rd.
Portland St.
Albany
Chumleigh St.
Burgess Park
Calmington Rd.
Cobourg Road
Waite St.
Glen-gall Ter.
Ingolis-thorpe Gro.
Olmar
Cantium Retail

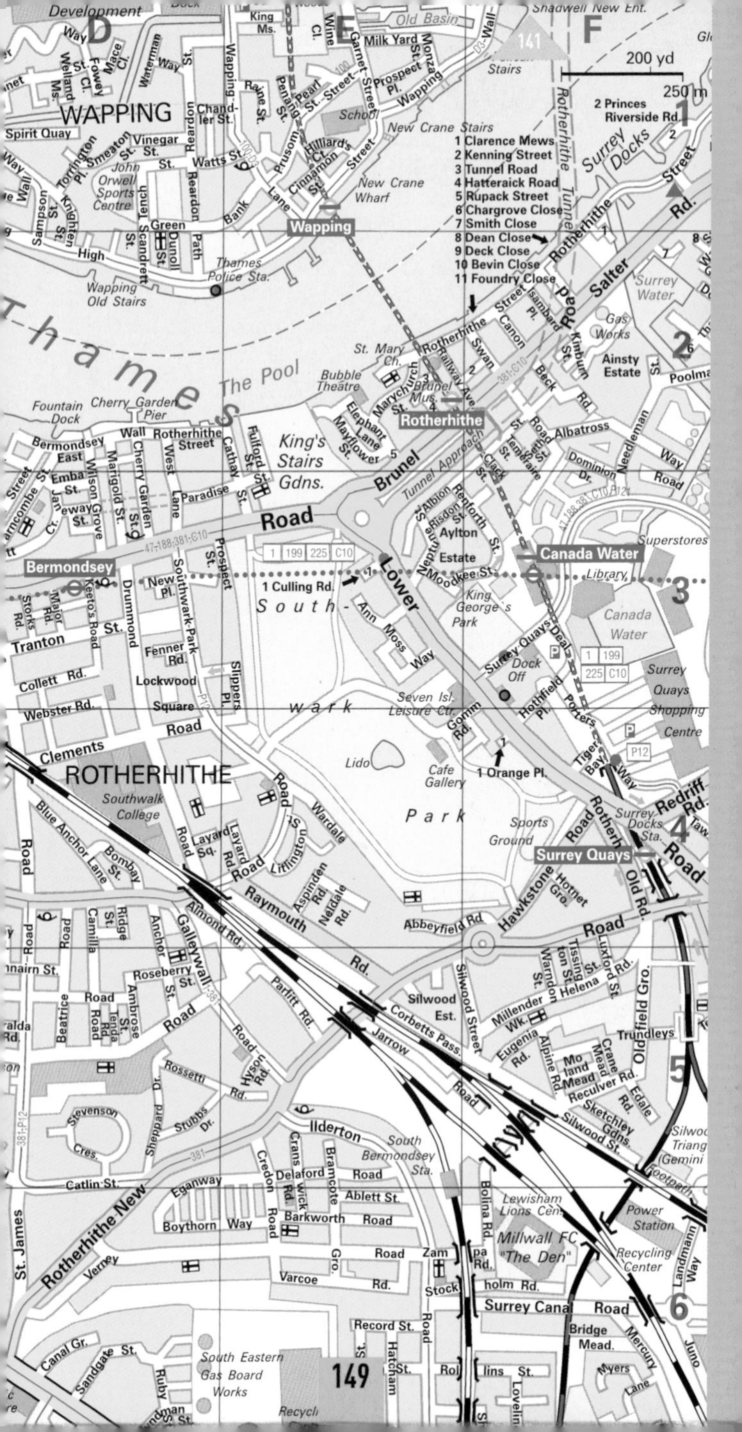
D
E
F
141
200 yd
250 m
1
2
3
4
5
6
WAPPING
ROTHERHITHE
Thames
The Pool
Development
Shadwell New Ent.
Old Basin
King Ms.
Wine Cl.
Milk Yard
Monza St.
Prospect Pl.
Wapping
Garnet Street
Pearl St.
Penang St.
Raine St.
Chandler St.
Wapping
Waterman Way
Welland Ms.
Fowey Cl.
Mace Cl.
Spirit Quay
Vinegar St.
Smeaton St.
Torrington Pl.
Watts St.
John Orwell Sports Centre
Reardon St.
Reardon Path
Tench St.
Scandrett St.
Dunoll St.
Sampson St.
Knighten St.
Green
High
Bank
Lane
Prusom St.
Cinnamon St.
Hilliard's Ct.
Street
School
New Crane Stairs
New Crane Wharf
Wapping
Thames Police Sta.
Wapping Old Stairs
Stairs
1 Clarence Mews
2 Kenning Street
3 Tunnel Road
4 Hatteraick Road
5 Rupack Street
6 Chargrove Close
7 Smith Close
8 Dean Close
9 Deck Close
10 Bevin Close
11 Foundry Close
2 Princes Riverside Rd.
Rotherhithe Tunnel
Surrey Docks
Rotherhithe Street
Salter Rd.
Surrey Water
Gas Works
Ainsty Estate
Poolmans
Isambard Pl.
Kinburn St.
Canon Beck Rd.
Swan Rd.
Rotherhithe Street
St. Mary Ch.
Bubble Theatre
Marychurch St.
Railway Ave.
Brunel Mus.
Rotherhithe
Elephant Lane
Mayflower St.
King's Stairs Gdns.
Fountain Dock
Cherry Garden Pier
Bermondsey Wall East
Rotherhithe Street
West Lane
Cathay St.
Fulford St.
Paradise St.
Marigold St.
Cherry Garden St.
Wilson Grove
Emba St.
Janeway St.
Brunel Road
Tunnel Approach
Albion St.
Neptune St.
Risdon St.
Renforth St.
Clack St.
Temeraire St.
Seth St.
Albatross Way
Dominion Dr.
Needleman St.
Way
Road
Aylton Estate
Moodkee St.
Superstores
Canada Water
Library
Bermondsey
Keeton's Road
Major Rd.
Storks Rd.
Drummond Road
New Pl.
Prospect St.
Southwark Park Road
1 199 225 C10
1 Culling Rd.
Lower Road
South-wark Park
Ann Moss Way
King George's Park
Canada Water
Surrey Quays Rd.
Deal Porters Way
Dock Off
1 199 225 C10
Surrey Quays Shopping Centre
Tranton St.
Fenner Rd.
Collett Rd.
Lockwood Square
Slippers Pl.
Webster Rd.
Clements Road
Seven Isl. Leisure Ctr.
Gomm Rd.
Hothfield Pl.
Tiger Bay Way
P12
Lido
Cafe Gallery
1 Orange Pl.
Southwalk College
Blue Anchor Lane
Bombay St.
Road
Layard Sq.
Layard Rd.
Road
St.
Litlington
Wardale
Sports Ground
Surrey Docks Sta.
Surrey Quays
Redriff Rd.
Rotherhithe Old Rd.
Road
Hawkstone Road
Hothet Gro.
Raymouth Rd.
Aspinden Rd.
Neldale Rd.
Abbeyfield Rd.
Road
Almond Rd.
Galleywall Road
Anchor St.
Ridge St.
Camilla Road
Road
Roseberry St.
Parfitt Rd.
Silwood Est.
Silwood Street
Warndon St.
Tissington St.
Luxford St.
Helena Rd.
Millender Wk.
Oldfield Gro.
Beatrice Road
Tenda Road
Ambrose St.
Road
Corbetts Pass.
Jarrow Road
Eugenia Rd.
Alpine Rd.
Moland Mead
Crane Mead
Trundleys
Reculver Rd.
Edale Rd.
Sketchley Gdns.
Silwood St.
Rossetti Rd.
Hyson Rd.
Stevenson Cres.
Sheppard Dr.
Stubbs Dr.
Ilderton Road
South Bermondsey Sta.
Credon Road
Cranswick Rd.
Bramcote Gro.
Delaford Road
Ablett St.
Barkworth Road
Catlin St.
Eganway
Boythorn Way
Rotherhithe New Road
Verney Road
Varcoe Rd.
Lewisham Lions Cen.
Millwall FC "The Den"
Bolina Rd.
Zampa Rd.
Stockholm Rd.
Surrey Canal Road
Power Station
Recycling Centre
Landmann Way
Bridge Mead.
Mercury Way
Myers Lane
Juno
Record St.
Hatcham Road
Rollins St.
Lovelinch
St. James
Canal Gr.
Sandgate St.
Ruby St.
South Eastern Gas Board Works
149

Napton on the Hill
Badby
Weedon Bec
Priors Marston
Bugbrooke
Northampton
Hardingstone
Castle Ashby
Sharnbrook
Bozeat
Milton Ernest
Bolnhurst
Eaton Socon
St. Neots
Chawston
Byfield
Maidford
Horton
Olney
Bedford
Great Barford
Gamlingay
Potton
Sandy
Wroxton
Chipping Warden
Wardington
Sulgrave
Towcester
Stoke Bruerne
Stoke Goldington
Stagsden
Kempston
Wrestlingworth
Silverstone
Wolverton-Stony Stratford
Newport Pagnell
Wilstead
Old Warden
Biggleswade
Middleton Cheney
Banbury
Brackley
Stowe School
Cranfield
Houghton House
Henlow
Adderbury
Aynho
Finmere
Milton Keynes
Woburn Sands
Flitwick
Clophill
Shefford
Stotfold
Letchworth
Deddington
Buckingham
Bletchley
Woburn Abbey
Barton-le-Clay
Hitchin
Ardley
Claydon House
Winslow
Stewkley
Toddington
Middle Barton
Middleton Stoney
Bicester
Middle Claydon
Leighton Buzzard
Hockliffe
LUTON
Saint Paul's Walden
Marsh Gibbon
Wing
Whitchurch
Dunstable
Knebworth
Woodstock
Weston-on-the-Green
Blackthorn
Waddesdon Manor
Kimpton
Welwyn
Blenheim Palace
Kidlington
Waddesdon
Ivinghoe
Dagnall
Whipsnade Park Zoo
Luton Hoo
Oakley
Aylesbury
Aston Clinton
Harpenden
Tring
Ashridge College
Wheathampstead
Wolvercote
Long Crendon
Thame
Wendover
St. Albans
Botley
Wheatley
Princes Risborough
Berkhamsted
Hemel Hempstead
Hatfield
London Colney
OXFORD
Great Missenden
Chesham
Potters Bar
Stadhampton
Chinnor
Stockenchurch
Amersham
Bricket Wood
Radlett
Abingdon
Watlington
Bradenham
Hughenden Manor
Borehamwood
Dorchester
Shillingford
High Wycombe
Rickmansworth
WATFORD
Bushey
Beaconsfield
Didcot
Wallingford
WEALDSTONE
Wantage
Nettlebed
Marlow
Gerrards Cross
RUISLIP
WEMBLEY
Bourne End
Henley-on-Thames
Maidenhead
House of Cliveden
Streatley
SLOUGH
HILLINGDON
EALING
WILLESDEN
READING
CAVERSHAM
Chieveley
Pangbourne
Twyford
Windsor
Eton
Heathrow
TWICKENHAM
Kew Gardens
RICHMOND
Bradfield
Theale
Thatcham
Wokingham
Thorpe Park
Staines
KINGSTON UPON THAMES
Ascot
Newbury
Bracknell
Walton
Hampton Court
Newton
Riseley
Eversley
Chertsey
Esher
Tadley
Sherfield on Loddon
WOKING
Epsom
Kingsclere
Basingstoke
Hartley Wintney
Camberley
Ripley
Leatherhead
The Vyne
Hook
Farnborough
Polesden Lacey
Fleet
East Horsley
Overton
Odiham
Aldershot
Guildford
Dorking
Whitchurch
Farnham
Shere
Reigate
Herriard
Bramley
Albury Park
Leith Hill
Micheldever
Preston Candover
Elstead
Godalming
Horley
Gatwick
Sutton
Scotney
Alton
Kingsley
Milford
Capel
Hindhead
Cranleigh
New Alresford
Selborne
Chiddingfold
Crawley
Ropley
Bucks Green
Greatham
Liphook
Haslemere
Winchester
Cathedral
Fernhurst
Wisborough Green
Horsham
Twyford
West Meon
Rogate
Billingshurst
Buster Hill
Petworth
Cowfold
Bolney
Eastleigh
Corhampton
Petersfield
Midhurst
Upham
West Harting
Rother
Bishop's Waltham
Hambledon
Pulborough
SOUTHAMPTON
Horndean
Roman Villa
Storrington
Henfield
Netley Abbey
Singleton
Goodwood House
Waterlooville
Stoughton
Washington
Wickham
Havant
West Lavant
The Trundle
Arundel
Cissbury Ring
Fareham
Emsworth
Chichester
Eastergate
Hove
Fawley
Lee-on-the-Solent
SOUTH HAYLING
Littlehampton
Worthing
BRIGHTON
Gosport
PORTSMOUTH
Solent
EAST COWES
Osborne House
West Wittering
Cowes
Fishbourne
Spithead
Chiltern Hills
North Downs
South Downs
Weald

Cambridge
Newmarket
Bury-Saint-Edmunds
Madingley
Bottisham
Ashley
Ickworth House
Woolpit
Sicklesmere
Debenham
Mickfield
Earl Stonham
Comberton
Fulbourn
Brinkley
Lidgate
Chedburgh
Brockley
Green
Rattlesden
Stowmarket
Wandlebury
Gog Magog Hills
Ashbocking
Needham Market
Harston
Orwell
Great Shelford
Abington
Great Bradley
Stradishall
Alpheton
Hitcham
Claydon
Kentwell Hall
Lavenham
Cam
Melbourn
Fowlmere
Sawston
Linton
Horseheath
Haverhill
Glemsford
Long Melford
Nedging Tye
Martlesham
Great Chesterford
Wixoe
Monks Eleigh
Bramford
Royston
Barley
Saffron Walden
Steeple Bumpstead
Sudbury
Boxford
Hadleigh
Copdock
Capel St. Mary
IPSWICH
Reed
Hempstead
Bulmer Tye
Stour
Duddenhoe End
Newport
Castle Hedingham
Stoke-by-Nayland
Holbrook
Garden City
Finchingfield
Sible Hedingham
Bures
Nayland
Hare Street
Clavering
Thaxted
Great Bardfield
Gosfield
Halstead
East Bergholt
Flatford Mill
Buntingford
Quendon
Earls Colne
Chappel
West Bergholt
Manningtree
Stansted Mountfitchet
Broxted
Colne
COLCHESTER
Braughing
Stansted
Great Dunmow
Braintree
Pant
Standon
Bishop's Stortford
Takeley
Coggeshall
Marks Tey
Wivenhoe
Layer de la Haye
Kelvedon
Chelmer
Great Leighs
Witham
Abberton
Brightlingsea
Ware
Widford
Sawbridge Worth
Leaden Roding
Ford End
Tiptree
Stanstead Abbots
Hatfield Heath
Pleshey
Abberton Res.
West Mersea
Clacton-on-Sea
Harlow
Great Waltham
Little Waltham
Great Totham
Tolleshunt d'Arcy
CHELMSFORD
Blackwater
North Weald Bassett
Fyfield
Writtle
Bradwell-on-Sea
Danbury
Maldon
Waltham Abbey
Epping
Essex
Chipping Ongar
S. Woodham Ferrers
Althorne
Southminster
Roding
Loughton
Billericay
Burnham-on-Crouch
Crouch
Wickford
Foulness Point
Brentwood
Rochford
ILFORD
ROMFORD
Rayleigh
Roach
LEYTON
BARKING
BASILDON
Great Wakering
Sth. Benfleet
SOUTHEND-ON-SEA
Stanford-le-Hope
Aveley
Corringham
Coryton
Canvey Island
Thames
GREENWICH
Grays
ERITH
Tilbury
Cliffe
Allhallows
Grain
Sheerness
Dartford
Gravesend
BEXLEY
Minster
Hoo
Medway
Leysdown-on-Sea
BROMLEY
Swanley
Rochester
Isle of Sheppey
Herne Bay
Gillingham
Whitstable
ORPINGTON
Longfield
New Addington
Eynsford
Chatham
The Swale
Sittingbourne
Kit's Coty House
Faversham
Upstreet
Sturry
Biggin Hill
West Kingsdown
Borough Green
Hollingbourne
Canterbury
Wingham
Sevenoaks
Old Soar Manor
Knole House
Westerham
Leeds
Leeds Castle
Chilham
Oxted
Mereworth
Lenham
Shipbourne
Maidstone
Challock
Penshurst Place
Tonbridge
Great Stour
Edenbridge
Paddock Wood
Wye
Castle Hever
Chiddingstone
Staplehurst
Headcorn
Pembury
Marden
England
Brabourne Lees
Elham
Southborough
Ashford
Ashurst
Royal Tunbridge Wells
Forest Row
Hartfield
Lamberhurst
Goudhurst
Bethersden
Scotney Castle
Sissinghurst Garden
Cranbrook
Hamstreet
Frant
Hawkhurst
Tenterden
Woodchurch
Hythe
Crowborough
Bewl Water
Mayfield
Bodiam
Bodiam Castle
Brenzett
Dymchurch
Maresfield
Rother
tourist railway
Heathfield
Burwash
Robertsbridge
Peasmarsh
Rye
New Romney
Greatstone-on-Sea
Uckfield
Blackboys
Camber
Lydd
Halland
Brede
Battle
Winchelsea
Dungeness
Ouse
Ringmer
Herstmonceux
Ninfield
1066
Fairlight
Lewes
Glynde
Herstmonceux Castle
Hailsham
Polegate
Hastings
Bexhill
Cuckmere
New-haven
Pevensey Bay
The Long Man
Eastbourne
Seaford
East Dean
Seven Sisters
Weald of Kent
The Weald
Sussex
5 mi
10 km
In the United Kingdom distances in miles
1 mile = 1,61 km

Das Register enthält eine Auswahl der im Cityatlas dargestellten Straßen und Plätze

KARTENLEGENDE

Motorway Autobahn	Autoroute Autosnelweg
Road with four lanes Vierspurige Straße	Route à quatre voies Weg met vier rijstroken
Through road Durchgangsstraße	Route de transit Weg voor doorgaand verkeer
Main road Hauptstraße	Route principale Hoofdweg
Other roads Sonstige Straßen	Autres routes Overige wegen
Information - Parking Information - Parkplatz	Information - Parking Informatie - Parkeerplaats
One way road Einbahnstraße	Rue à sens unique Straat met eenrichtingsverkeer
Pedestrian zone Fußgängerzone	Zone piétonne Voetgangersgebied
Main railway with station Hauptbahn mit Bahnhof	Chemin de fer principal avec gare Belangrijke spoorweg met station
Other railways Sonstige Bahnen	Autres lignes Overige spoorwegen
Underground U-Bahn	Métro Ondergrondse spoorweg
Bus-route Buslinie	Ligne d'autobus Buslijn
Landing place Anlegestelle	Embarcadère Aanlegplaats
Church - Church of interest - Synagogue Kirche - Sehenswerte Kirche - Synagoge	Église - Église remarquable - Synagogue Kerk - Bezienswaardige kerk - Synagoge
Post office - Police station Postamt - Polizei	Bureau de poste - Police Postkantoor - Politie
Monument - Tower Denkmal - Turm	Monument - Tour Monument - Toren
Hospital - Hotel - Youth hostel Krankenhaus - Hotel - Jugendherberge	Hôpital - Hôtel - Auberge de jeunesse Ziekenhuis - Hotel - Jeugdherberg
Built-up area - Public buildings Bebauung - Öffentliche Gebäude	Zone bâtie - Bâtiments public Woongebied - Openbaar gebouw
Industrial area Industriegebiet	Zone industrielle Industriekomplex
Park, forest - Cemetery Park, Wald - Friedhof	Parc, bois - Cimetière Park, bos - Begraafsplaats
Restricted traffic zone Zone mit Verkehrsbeschränkungen	Circulation réglementée par des péages Zone met verkeersbeperkingen
MARCO POLO Discovery Tour 1 MARCO POLO Erlebnistour 1	MARCO POLO Tour d'aventure 1 MARCO POLO Avontuurlijke Route 1
MARCO POLO Discovery Tours MARCO POLO Erlebnistouren	MARCO POLO Tours d'aventure MARCO POLO Avontuurlijke Routes
MARCO POLO Highlight	MARCO POLO Highlight

FÜR IHRE NÄCHSTE REISE ...

ALLE **MARCO POLO** REISEFÜHRER

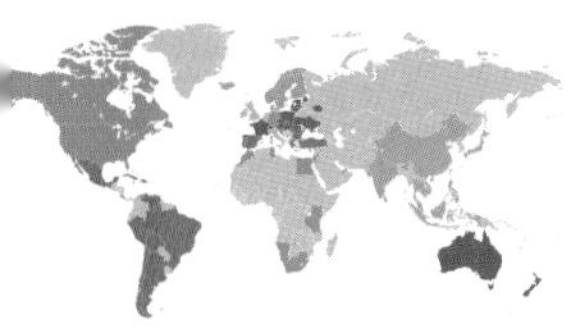

DEUTSCHLAND
Allgäu
Bayerischer Wald
Berlin
Bodensee
Chiemgau/ Berchtesgadener Land
Dresden/ Sächsische Schweiz
Düsseldorf
Eifel
Erzgebirge/ Vogtland
Föhr & Amrum
Franken
Frankfurt
Hamburg
Harz
Heidelberg
Köln
Lausitz/Spreewald/ Zittauer Gebirge
Leipzig
Lüneburger Heide/ Wendland
Mecklenburgische Seenplatte
Mosel
München
Nordseeküste Schleswig-Holstein
Oberbayern
Ostfriesische Inseln
Ostfriesland/Nordseeküste Niedersachsen/Helgoland
Ostseeküste Mecklenburg-Vorpommern
Ostseeküste Schleswig-Holstein
Pfalz
Potsdam
Rheingau/ Wiesbaden
Rügen/Hiddensee/ Stralsund
Ruhrgebiet
Schwarzwald
Stuttgart
Sylt
Thüringen
Usedom
Weimar

ÖSTERREICH SCHWEIZ
Kärnten
Österreich
Salzburger Land
Schweiz
Steiermark
Tessin
Tirol
Wien
Zürich

FRANKREICH
Bretagne
Burgund
Côte d'Azur/ Monaco
Elsass
Frankreich
Französische Atlantikküste
Korsika
Languedoc-Roussillon
Loire-Tal
Nizza/Antibes/ Cannes/Monaco
Normandie
Paris
Provence

ITALIEN MALTA
Apulien
Dolomiten
Elba/Toskanischer Archipel
Emilia-Romagna
Florenz
Gardasee
Golf von Neapel
Ischia
Italien
Italienische Adria
Italien Nord
Italien Süd
Kalabrien
Ligurien/ Cinque Terre
Mailand/ Lombardei
Malta & Gozo
Oberital. Seen
Piemont/Turin
Rom
Sardinien
Sizilien/ Liparische Inseln
Südtirol
Toskana
Venedig
Venetien & Friaul

SPANIEN PORTUGAL
Algarve
Andalusien
Barcelona
Baskenland/ Bilbao
Costa Blanca
Costa Brava
Costa del Sol/ Granada
Fuerteventura
Gran Canaria
Ibiza/Formentera
Jakobsweg Spanien
La Gomera/ El Hierro
Lanzarote
La Palma
Lissabon
Madeira
Madrid
Mallorca
Menorca
Portugal
Spanien
Teneriffa

NORDEUROPA
Bornholm
Dänemark
Finnland
Island
Kopenhagen
Norwegen
Oslo
Schweden
Stockholm
Südschweden

WESTEUROPA BENELUX
Amsterdam
Brüssel
Dublin
Edinburgh
England
Flandern
Irland
Kanalinseln
London
Luxemburg
Niederlande
Niederländische Küste
Schottland
Südengland

OSTEUROPA
Baltikum
Budapest
Danzig
Krakau
Masurische Seen
Moskau
Plattensee
Polen
Polnische Ostseeküste/ Danzig
Prag
Slowakei
St. Petersburg
Tallinn
Tschechien
Ungarn
Warschau

SÜDOSTEUROPA
Bulgarien
Bulgarische Schwarzmeerküste
Kroatische Küste Dalmatien
Kroatische Küste Istrien/Kvarner
Montenegro
Rumänien
Slowenien

GRIECHENLAND TÜRKEI ZYPERN
Athen
Chalkidiki/ Thessaloniki
Griechenland Festland
Griechische Inseln/ Ägäis
Istanbul
Korfu
Kos
Kreta
Peloponnes
Rhodos
Samos
Santorin
Türkei
Türkische Südküste
Türkische Westküste
Zákinthos/Itháki/ Kefalloniá/Léfkas
Zypern

NORDAMERIKA
Chicago und die Großen Seen
Florida
Hawai'i
Kalifornien
Kanada
Kanada Ost
Kanada West
Las Vegas
Los Angeles
New York
San Francisco
USA
USA Ost
USA Südstaaten/ New Orleans
USA Südwest
USA West
Washington D.C.

MITTEL- UND SÜDAMERIKA
Argentinien
Brasilien
Chile
Costa Rica
Dominikanische Republik
Jamaika
Karibik/ Große Antillen
Karibik/ Kleine Antillen
Kuba
Mexiko
Peru & Bolivien
Yucatán

AFRIKA UND VORDERER ORIENT
Ägypten
Djerba/ Südtunesien
Dubai
Israel
Jordanien
Kapstadt/ Wine Lands/ Garden Route
Kapverdische Inseln
Kenia
Marokko
Namibia
Rotes Meer & Sinai
Südafrika
Tansania/Sansibar
Tunesien
Vereinigte Arabische Emirate

ASIEN
Bali/Lombok/Gilis
Bangkok
China
Hongkong/Macau
Indien
Indien/Der Süden
Japan
Kambodscha
Ko Samui/ Ko Phangan
Krabi/ Ko Phi Phi/ Ko Lanta
Malaysia
Nepal
Peking
Philippinen
Phuket
Shanghai
Singapur
Sri Lanka
Thailand
Tokio
Vietnam

INDISCHER OZEAN UND PAZIFIK
Australien
Malediven
Mauritius
Neuseeland
Seychellen

Viele MARCO POLO Reiseführer gibt es auch als eBook – und es kommen ständig neue dazu!
Checken Sie das aktuelle Angebot einfach auf: www.marcopolo.de/e-books

REGISTER

In diesem Register sind alle im Reiseführer erwähnten Sehenswürdigkeiten und Ausflugsziele sowie einige wichtige Straßen, Plätze, Namen und Stichworte aufgeführt. Gefettete Seitenzahlen verweisen auf den Haupteintrag.